GW00392930

Jean-Denis Bredin

Un coupable

Gallimard

« *Il voyait très lucidement son affaire... L'innocence est un don, une grâce, ce n'était pas fait pour lui, il était né coupable, il s'était épuisé à vouloir changer cela, en vain il s'était battu, tout au long de son affaire, tout au long de sa vie, c'était idiot, il était né vaincu, maintenant il voyait clair, au-delà de sa nuit.* »

Fils d'un père breton, d'une mère algérienne, Ali François Caillou, étudiant en droit, a été arrêté dans une manifestation pacifiste, inculpé de violences à agents, incarcéré à la prison de la Santé. La Justice l'a pris par hasard, elle le garde, elle le juge. Nulle perversion dans le fonctionnement de la machine judiciaire, dont ce livre est la scrupuleuse radiographie. Elle va honnêtement son train, selon ses habitudes, avec ses préjugés. Au bout du chemin elle broie l'innocent.

Innocent cet enfant sans joie, cet adolescent sans espoir ? Sa mère partie quand il avait huit ans, son père mort quand il en avait douze, une chambre déserte, un ami vaniteux, une maîtresse éphémère. « *Le malheur d'Ali, plaide son avocat, c'est qu'il n'est de nulle part, partout déraciné, balloté entre la France et l'Algérie, entre les bateaux et les mandats, son malheur c'est l'errance, la solitude dans l'errance, c'est aussi la peur...* »

Jean-Denis Bredin raconte ici l'histoire d'une double culpabilité : celle que fabrique une vie, celle qu'ordonne la justice. Il éclaire leur tragique complicité : comment elles se rejoignent, et s'accordent pour détruire un garçon de dix-huit ans.

Jean-Denis Bredin est professeur de droit à l'Université Paris I, avocat au Barreau de Paris. Il est l'auteur d'ouvrages historiques comme *Joseph Caillaux* et *L'Affaire*, et de romans comme *Un coupable* et *L'absence*.

I

Il ne voyait rien, ou presque, dans ce couloir sans fenêtre, interrompu, tous les cinq mètres, d'une porte close. L'un des gardes marchait devant lui, le tirant doucement par la chaîne qui tenait les menottes. Souvent Ali précipitait son pas, afin que la chaîne ne se tendît pas, ou pour cacher ses mains quand ils croisaient quelqu'un. L'autre garde allait derrière lui, très près, le retenant parfois à l'épaule. Devant la porte 112, ils s'arrêtèrent. Le premier garde frappa, il ouvrit la porte avant même d'écouter la réponse.

Ali attendait, entre ses deux gardes, tous trois respectueusement dressés devant le juge d'instruction. Le juge assis continuait de feuilleter le dossier posé sur son bureau, comme s'il ne les avait ni vus ni entendus. Derrière une autre table, placée en équerre, une dame sans âge, très petite, très voûtée, se tenait immobile, les deux mains posées sur la machine à écrire, prête à taper. Ali se dit que c'était la greffière, qu'il importait de lui sourire, ce qu'il fit longuement. Elle ne le regarda pas. Le juge était vieux, maigre, presque décharné, parfaitement chauve, son costume flottait sur lui, il tenait ses lunettes à quelques centimètres de ses yeux, il les promenait au-dessus des documents qu'il sortait, lisait et reposait très vite.

– Retirez-lui ses menottes.

Ali fut surpris par la voix forte, un peu grinçante. Il ne s'attendait pas à cette faveur. Le juge leva la tête. Il regarda longuement ce jeune Algérien aux yeux très noirs, petit, chétif, qui ressemblait à beaucoup d'autres. D'un geste du menton, il lui commanda de s'asseoir sur une chaise placée juste devant son bureau. Ali n'osa s'installer si près du juge, il recula un peu la chaise, pas trop pour ne pas s'attirer d'observation, il s'assit les genoux et les pieds joints, les bras croisés. Les gardes se mirent à distance sur des chaises collées au mur, leur devoir était de se faire oublier.

– Vous vous appelez Caillou Ali... Caillou Ali-François. Vous êtes de nationalité française. Vous êtes né... à Rennes... à Rennes ?

Le juge s'interrompit, regardant le prévenu :

– A Rennes, de Caillou Loïc Yvon, et de Bedjalli Layla, son épouse. Vous avez... dix-neuf ans – non, dix-huit ans. Vous êtes domicilié... enfin vous étiez domicilié... à Paris, dans le 3e arrondissement.

Ali pensa que ce n'étaient pas des questions auxquelles il devait répondre, plutôt un résumé de son affaire qu'entamait le juge. Il se tut, approuvant de la tête.

10

Le juge reprit :

– Ali-François Caillou, c'est bien ça ?

– Oui.

Ali trouva sa réponse un peu sèche, il répéta, doucement :

– Oui, monsieur le juge.

Et il précisa :

– Mon père m'appelait plutôt François.

L'épreuve était commencée. Ali se sentait presque à son aise, assis en face de ce juge attentif et qui le vouvoyait, le juge avait enfoncé ses lunettes sur son nez, comme pour mieux l'observer, il devait le trouver étrange cet Ali-François Caillou, on aurait dit que le sang français s'était réfugié dans les pieds, « tu n'as pris de moi que mon nom », lui répétait son père. Ali ne pensait plus qu'à rassurer le juge, l'important était de faire bonne impression.

Il expliqua :

– Mon père était inspecteur des impôts, à Rennes.

Très vite il ajouta :

– Nous sommes originaires de Vitré, dans l'Ille-et-Vilaine. J'avais douze ans quand mon père est mort.

– Votre mère est algérienne, n'est-ce pas ?

– Monsieur le juge, elle vit à Alger.

Le juge insista :

– Elle est algérienne ?

– Oui, monsieur le juge. Elle est fonctionnaire au ministère de l'Energie.

Le juge fit un geste de la main, qui éloignait

11

les confidences. Ali se reprocha d'avoir été trop bavard, le juge était sans doute pressé, Ali aurait voulu préciser que sa mère avait vécu en France la plus grande partie de sa vie, jusqu'à son divorce, mais il craignait d'agacer le juge, le juge n'avait pas le temps des détails.

– De quoi vivez-vous, monsieur Caillou ?

Cette question, elle lui avait été posée plusieurs fois pendant la garde à vue. Ali pouvait réciter sa réponse :

– J'ai ma bourse d'étudiant, chaque mois ma mère m'envoie un mandat d'Alger...

– Elle vous envoie un mandat d'Alger ? Tous les mois ?

Ce mandat semblait étonner le juge, comme il avait surpris les policiers.

– Oui, monsieur le juge, tous les mois, j'ai gardé les talons...

A nouveau le juge, d'un geste, arrêta tout commentaire. Il se mit à fouiller dans le dossier, comme s'il cherchait les talons, ou autre chose, il chuchotait :

– D'Alger... un mandat... chaque mois... d'Alger..

Soudain il leva la tête vers Ali :

– Cette bourse et ce mandat vous suffisent pour vivre ?

– Oui, monsieur le juge... je vis juste... très juste...

Ces mêmes mots, Ali les avait prononcés, au cours de la garde à vue, sur le même ton, il avait vérifié qu'ils convenaient.

12

– Vous êtes étudiant, monsieur Caillou, étudiant en quoi ?

Deux fois, Ali avait expliqué à la police qu'il était étudiant en première année de droit, on lui avait fait présenter sa carte, peut-être le juge avait-il mal lu le dossier, peut-être souhaitait-il que ce fût dit, devant lui, à voix haute.

– Je suis étudiant en droit, monsieur le juge, en première année de droit.

– Etudiant en droit, confirma le juge. Et où ça ?

– A Villetaneuse.

– Il y a une faculté de droit à Villetaneuse ?

– Oui, monsieur le juge.

Ali ajouta, comme pour s'excuser :

– Nous ne sommes pas nombreux.

Deux fois le juge répéta : « étudiant en droit », il hocha la tête, la greffière aussi hocha la tête, ce devait être important, Ali fixa son regard sur ses chaussures.

– Venons-en à votre affaire.

La voix du juge s'était durcie. Il tenait dans sa main droite quelques pages du dossier, parfois il les brandissait en parlant.

– Monsieur Caillou, vous ne contestez pas vous être rendu lundi dernier, avant-hier, à une manifestation d'étudiants, une manifestation pour la paix, paraît-il. Vous ne contestez pas avoir été arrêté vers midi place du Palais-Bourbon...

– Non, monsieur le juge, mais je voudrais dire...

Le juge l'interrompit :

– Monsieur Caillou, pouvez-vous m'expliquer ce que vous alliez faire à cette manif...

Il avait dit : « cette manif », c'était plutôt bon signe, il enchaîna :

– Je vais vous inculper... vous n'êtes donc pas obligé de me répondre.

– Je sais, monsieur le juge.

– Vous le savez, observa sèchement le juge, c'est vrai... J'oubliais que vous êtes étudiant en droit.

Ali se précipita pour répondre à la question du juge, il voulait réparer sa maladresse.

– Je suis allé à la manif pour voir, par simple curiosité.

– Quelqu'un vous a entraîné ?

– Non, monsieur le juge, personne, j'avais entendu parler de la manif à la fac. J'ai voulu voir. Je n'avais jamais participé à une manifestation.

Ali ne voulait pas donner le nom de Luc, Luc l'avait emmené, puis il avait disparu juste avant la charge des flics, toujours la chance lui souriait. Pour noyer son mensonge, Ali ajouta très vite :

– A la fac, tout le monde parlait de la manif.

– Vous militez pour la paix ?

– Non, monsieur le juge... Je ne milite nulle part.

– C'est vrai, confirma le juge. Dans ces conditions, vous auriez mieux fait de ne pas y aller.

– C'est vrai, répéta Ali.

Et ils se turent.

Le juge avait recommencé d'agiter ses lunettes, de remuer ses papiers, comme s'il cherchait un

14

document essentiel. Soudain il ferma son dossier, il parla sur un ton sévère :

– Pouvez-vous me dire pourquoi vous avez emporté une bouteille de bière, une bouteille vide ? Vous ne trouvez pas, monsieur Caillou, que c'est une étrange idée ? Pourquoi l'avez-vous cachée dans votre blouson, cette bouteille vide ? Pourquoi ? Vous vous promenez souvent avec une bouteille vide dans le blouson ? Bien sûr vous n'êtes pas obligé de me répondre, vous êtes libre de vous taire...

Ali savait qu'il ne devait pas se taire, il savait que derrière cette histoire de bouteille il y avait toute son affaire, il cherchait la meilleure réponse, il hésitait, le juge commenta :

– Vous préférez ne pas répondre.

– Monsieur le juge, je n'avais pas de bouteille sur moi, je n'avais rien emporté, je suis innocent...

A nouveau le juge laissa s'installer le silence. Il prit et parcourut deux ou trois procès-verbaux, il en reprit d'autres. Tandis qu'il lisait, il grommelait :

– Vous êtes innocent, vous êtes innocent...

Puis il se mit à discourir sans lever les yeux, de plus en plus fort :

– Vous avez frappé le gardien de la paix au visage... une fois... deux fois... pas vous, je sais, un autre... d'autres frappaient avec vous... autour de vous... vous frappiez tous... vous avez tailladé le visage du brigadier Dubosc... vous avez continué de frapper quand le sang a coulé... vos camarades

15

aussi avaient apporté leurs bouteilles... ils frappaient tous... il a fallu vous maîtriser... vous étiez comme fou... je sais, ce n'était pas vous, c'était un autre qui vous ressemblait comme un frère...

– Je suis innocent, répéta Ali, très bas, pour ne pas froisser le juge.

– A la police la victime vous a reconnu... et aussi les deux gardiens qui vous ont maîtrisé... ils sont trois à vous reconnaître...

Le juge tenait à la main trois procès-verbaux, tantôt il les tendait vers Ali, tantôt il les ramenait sous ses yeux en gestes saccadés.

– Ils sont trois à vous reconnaître... monsieur Caillou, ils sont trois... chacun vous a reconnu deux fois... cela fait six reconnaissances... six reconnaissances ne vous suffisent pas...

Le juge était franchement mécontent. Ali n'osait plus rien dire. Pourtant le juge s'était trompé. Deux gardiens de la paix avaient bien témoigné, au commissariat de police, qu'ils avaient vu Ali frappant leur camarade, mais la victime ne l'avait pas reconnu. Ou plutôt elle ne l'avait reconnu qu'à la seconde confrontation, le second jour de la garde à vue, et encore, le brigadier Dubosc n'avait pas été tout à fait formel. Cela ne faisait donc pas six reconnaissances. Le juge devina l'objection.

– Le brigadier Dubosc a d'abord hésité à vous reconnaître... il était encore sous le choc... des points de suture, un œil blessé... dans quel état l'avait-on mis... il est honnête ce brigadier, père de trois enfants, breton comme vous, monsieur

16

Caillou... vous savez qu'à sa seconde déposition il n'a plus hésité... il a tout reconnu, votre visage, vos mains, votre allure, votre blouson, il a tout reconnu, tout reconnu... il n'a aucun intérêt à mentir, le brigadier Dubosc... et personne n'a vu d'autre Arabe dans la manif... monsieur Caillou, je crains que vous ne disiez pas la vérité.

La voix du juge s'était enflée au point que la greffière avait remué la tête, quatre ou cinq fois. Ali avait compris que c'était un moment essentiel de la séance, mais il ne trouvait rien à dire qui fût utile.

– Pourtant je suis innocent, murmura-t-il, parlant pour lui plus que pour le juge.

– Innocent ou coupable, remarqua le juge, il vous faut un avocat. Je ne vous interrogerai pas aujourd'hui. Je vous convoquerai avec votre avocat... vous en connaissez un ?

Le juge s'était radouci.

– Non, monsieur le juge.

Ali fut sur le point de solliciter un nom.

– De toute manière..., murmura le juge.

Il leva les épaules, il soupira longuement, le choix de l'avocat lui était indifférent.

– Ali-François Caillou, je vais vous inculper de violences exercées contre un agent de la force publique, et ayant entraîné des blessures, délit prévu aux articles 230 et 231 du Code pénal... Vous tapez, madame ?

Avant même qu'il en eût donné l'ordre, la greffière s'était mise en marche. Elle tapait lentement, presque solennellement, les yeux dans le vide. Elle semblait connaître son texte par cœur. Tandis qu'elle avançait, le juge continua :

– Vous avez de la chance, monsieur Caillou. Si le brigadier Dubosc avait perdu son œil, vous seriez passible de la réclusion criminelle... Oui, vous avez eu beaucoup de chance... J'ai déjà interrogé quatre de vos camarades... ils ont reconnu les faits. Ils n'ont rien contesté... pourtant l'un d'eux n'avait été reconnu que par un seul témoin, et qui n'était pas sûr de lui... C'est un dossier simple, monsieur Caillou, très simple, on a le droit de s'égarer dans une manif qui tourne mal, ça aurait pu m'arriver quand j'avais votre âge... mais on n'a pas le droit d'emporter une bouteille, une arme, de taper sauvagement sur des flics – il répéta : « des flics » – qui essaient de vous disperser, qui font leur devoir, ça je ne comprends pas... les autres prévenus, encore, je les comprends, ce sont des militants... exaltés... intoxiqués... mais vous... vous... vous allez souvent en Algérie ?

On avait enterré son père, il avait pris le bateau à Marseille, seul, il avait douze ans. Alger c'était son rêve, c'était sa mère, trois ans il était resté là-bas, presque heureux, les amis et les études sans problème, le soleil tous les jours, elle dans la chambre à côté, et puis on l'avait raccompagné au bateau, Alger s'était éloignée, il y était revenu deux fois, pour des morceaux de vacances, tout autrement, il ne pouvait en parler au juge, c'était trop long, trop bizarre, inexplicable, sans doute dangereux à dire, il cherchait une réponse qui ne le compromît pas.

– Monsieur le juge... j'y vais voir Maman, ma mère, souvent, parfois, aux vacances...

– Je comprends, dit le juge.

Ali s'inquiéta de ce que le juge avait compris.

La greffière avait achevé sa frappe, posé le procès-verbal au bout de la table, au plus près d'Ali.

– Vous signez, ordonna le juge.

Ali pouvait rester assis, signer en se pliant à l'extrême, mais il crut plus correct de se lever, de faire un pas.

La greffière lui tendit son stylo.

– Vous persistez à nier les faits ? interrogea le juge quand Ali saisit le stylo.

Ali resta interloqué, n'osant plus ni parler, ni bouger.

– C'est comme vous voulez, commenta le juge, mais c'est dommage... signez.

Ali signa avec application de son nom puis de ses deux prénoms, et il demeura debout, le regard fixé sur le juge, attendant un ordre.

– Gardes, emmenez-le.

Les gardes se dressèrent. L'un lui passa les menottes, l'autre s'approcha du juge qui lui dit quelques mots, si bas qu'Ali n'entendit rien. A nouveau le juge s'adressa à Ali :

– Si des membres de votre famille veulent vous voir en prison, je leur donnerai un permis. Qu'ils viennent ici.

Ali s'affola. Son principal problème était que sa mère ne fût pas avertie.

– Monsieur le juge, Maman ne sera pas prévenue...? Excusez-moi, surtout, je ne voudrais pas...

Le juge s'était levé, pour signifier que la séance avait pris fin. Il parut surpris.

– Pourquoi voulez-vous que je la prévienne ? D'ailleurs je n'ai pas son adresse. Vous avez d'autres parents ?

Ali préféra mentir.

– Non, monsieur le juge.

– Vous êtes bien seul, monsieur Caillou, observa le juge, et il avança la main pour saisir, difficilement, l'une des mains d'Ali prises dans les menottes.

Ali y vit une attention.

– Je vous remercie, monsieur le juge, dit-il avec un grand sourire.

Le juge se renfrogna.

– C'est dommage... c'est très dommage, l'affaire est simple... J'ai peur que vous ne perdiez votre temps... et que vous ne nous fassiez perdre le nôtre... Bien sûr, vous êtes libre de nier. Je vous convoquerai avec votre avocat. Désignez-le très vite. Gardes, emmenez M. Caillou !

Ali s'inclina. Puis il se tourna vers la greffière. Il s'inclina encore. Elle ne répondit pas.

Ils sortirent comme ils étaient entrés. Le couloir, éclairé de lampes mortes, était si noir qu'à certains moments le premier garde allongeait son bras vers l'avant, comme pour prévenir un obstacle. Ali tâchait de se remémorer tout ce qu'il avait dit au juge, il voulait savoir si cette séance avait été bonne pour lui. Chaque fois qu'un souvenir l'assombrissait, un mot de lui mal venu, une attitude hostile du juge, il s'appliquait à revivre l'instant final, « vous êtes bien seul, monsieur Caillou », il tâchait de retrouver la main du juge.

Dans l'escalier, ils avançaient tous trois, à pas très lents, vérifiant du pied chaque marche. Il semblait à Ali qu'ils s'enfonçaient sous terre. Sitôt que le garde tirait un peu fort, comme pour prendre équilibre, les menottes lui faisaient mal. A un moment, le garde qui suivait Ali trébucha :

— Merde... on n'y voit rien...

— Ça a duré trop longtemps, dit poliment Ali, j'ai parlé trop longtemps.

— Non, rétorqua le garde. Non. Ça n'a pas été long. Mais tu as eu tort de nier.

Le garde qui marchait en tête se retourna brutalement, il regarda son camarade :

— Tais-toi, tu n'as pas à parler.

Ali voulut s'interposer :

— Il parlait pour moi...

— Nous n'avons rien à dire, reprit le garde. Ni pour vous. Ni contre vous. Nous n'avons qu'à nous taire.

Et ils continuèrent leur chemin, muets, appliqués. Les pieds traînaient sur les marches. Ils semblaient respirer, tous les trois, du même souffle. Ils prenaient garde de tenir leur exacte distance. On les aurait dits encordés.

II

La prison dormait quand Ali y fut conduit. Ils parcoururent d'immenses couloirs. Le surveillant ouvrit une grille, la referma derrière eux, puis une autre, une autre encore. Il faisait résonner ses pas, Ali marchait sur la pointe des pieds, toujours des couloirs, des grilles. Soudain ils s'arrêtèrent.

— C'est ici ta maison, dit le surveillant.

Il ouvrit la porte, puis la lumière, il poussa Ali en avant. De chaque côté de la cellule Ali vit deux lits superposés, une table et quatre chaises les séparaient. Sur les lits supérieurs deux hommes dormaient et ronflaient. À voix basse il demanda :

— Pouvez-vous me dire où sont les toilettes ?

Le gardien désigna, d'un mouvement de menton, un coin de la cellule, à gauche de la porte, un rideau de plastique blanc.

— Bonne nuit, dit Ali.

— Bonne nuit, répondit le surveillant.

Il fit tourner la clef dans la serrure. Ali éteignit

aussitôt la lampe. Il s'appliqua à pisser sans bruit. Puis il rejoignit, en tâtonnant, l'un des deux lits du bas, celui qui n'était pas collé aux toilettes.

Il n'était pas question qu'Ali dormît. Les deux ronflements l'en auraient empêché, l'un léger, entrecoupé de silences, l'autre puissant et régulier. Surtout il voulait rester éveillé, il avait tant de choses à faire ! Il devait tout organiser pour que sa mère n'apprît rien, la Faculté non plus, il lui fallait se procurer de l'argent, choisir un avocat, préparer sa défense. Il ne savait dans quel ordre traiter ses problèmes. Il essayait de les classer. Sa mère était sa première préoccupation. Puis venait l'avocat. L'avocat était lié à l'argent. Tous ses soucis allaient de front. Il ne parvenait à en saisir aucun, ils revenaient tous ensemble, ils se brouillaient, Ali n'avançait pas. Minute après minute il reprenait les événements, depuis le moment où Luc était venu le chercher dans sa chambre, la manif, la bagarre, le car de police, les deux jours de garde à vue, la séance chez le juge, il voulait découvrir de nouveaux détails qui l'auraient aidé à voir clair, là non plus il n'avançait pas. Que la victime ait fini par déclarer, à la seconde confrontation, « ce doit être celui-ci qui m'a frappé, à la réflexion je le reconnais », Ali pouvait le comprendre. Le brigadier Dubosc avait été aveuglé par le sang, au commissariat il était venu la tête enveloppée de pansements, tout hébété, peut-être n'avait-il pas vu son agresseur, peut-être l'imaginait-il, peut-être désignait-il Ali pour désigner quelqu'un. Mais les deux autres ?

23

Ça avait cogné dans tous les sens autour d'Ali, une trentaine à se taper dessus, flics contre étudiants, bouteilles contre matraques, lui il n'avait fait que se protéger des coups, maintenant il essayait de retrouver tous les visages, l'un après l'autre, il voyait les deux flics qui l'avaient empoigné et qui l'avaient jeté dans le fourgon, il était sûr que ce n'était pas ces deux qui l'accusaient, ceux-là, il les cherchait partout, il fouillait tous les coins de sa mémoire, il ne les apercevait nulle part, ils mentaient donc, pourtant ils avaient semblé très sincères pendant les confrontations, très courtois, presque ennuyés de l'accuser. « Vous me présentez Ali Caillou ? Oui, je l'ai vu frapper le brigadier Dubosc, je suis formel. » Ils avaient reconnu son visage, son vêtement, son allure. Impossible de se tromper. Pas d'autre Algérien parmi les étudiants. Ils avaient décrit minutieusement les gestes de l'agresseur. Ils avaient observé l'un et l'autre qu'il frappait de la main gauche, or Ali était gaucher. Tous les deux ils avaient remarqué, sur le plus long des doigts qui tenaient la bouteille, une bague, une bague que l'on n'oubliait pas, c'était sa mère qui la lui avait donnée, le jour de ses quinze ans, pour éloigner le mauvais œil. Sa bague, sa mère. Elle souriait. Sa mère souriait toujours quand elle ne pleurait pas. Sa mère était couchée par terre, sur le trottoir, à deux pas de lui. On se bagarrait autour. Les policiers marchaient sur elle, sans le savoir. Elle n'osait crier, lui non plus, il ne fallait pas que les policiers la voient. Sa mère avait mal. Il y en avait un qui se dressait, un pied

24

sur son ventre, un pied sur son visage, il brandissait une matraque, un autre piétinait ses longs cheveux, il tenait des menottes à la main, il souriait poliment...

Tout le premier jour Ali resta prostré, tâchant seulement de ne pas déplaire à ses deux compagnons. Il refusa le déjeuner et le dîner, c'était immangeable, de toute manière il n'avait pas faim.

– Ils pissent dans la soupe, commenta Monsieur Fiore, mais tu t'habitueras.

– S'ils pissaient dedans, objecta Georges Tulle, ce serait meilleur.

Au dîner Ali accepta, par politesse, de partager avec eux un fromage que Monsieur Fiore achetait à la cantine, et dont ils disaient tous deux du bien. Manifestement Monsieur Fiore détenait l'autorité. Il avait cinquante-cinq ans – dont dix années passées en prison, proclamait-il fièrement. Il savait parler aux gardiens, il connaissait des tas de recettes pour bien vivre en cellule. Tous les procès de Monsieur Fiore étaient pleins d'enseignements, il adorait les raconter, cette fois il risquait quinze ans, son avocat passait pour le meilleur de France, un avocat très introduit, qui ne prenait pas n'importe quel client. Georges Tulle semblait son contraire. Il n'avait pas vingt-cinq ans. Ses deux condamnations pour vol, l'une à trois mois, l'autre à six mois, ne cessaient pas de l'indigner, deux scandales ! Il se plaignait des juges, des avocats, des gardiens, des détenus, le monde entier l'insupportait. Sa femme ne venait jamais le visiter, son petit garçon n'était sans doute pas de lui, le reverrait-il jamais, tous ils s'acharnaient à lui gâcher la vie. Monsieur Fiore prêchait et riait beaucoup. Georges Tulle, avare de mots et de gestes, devenait vindicatif aussitôt qu'il parlait. Ali eut bien de la peine à toucher au fromage, à leur dire quelques mots de lui, de son affaire, pour se faire accepter, ils comprirent qu'il ne voulait pas parler, il était différent, un Arabe, un étudiant, mais il semblait fragile et gentil, on avait plutôt envie de le protéger.

— Le juge t'a interrogé ? demanda Georges Tulle.

– Non, expliqua Ali, il n'a pas voulu m'interroger parce que je suis innocent.

– Nous sommes tous innocents, observa Georges Tulle.

– Peut-être, admit Ali pour ne pas désobliger son compagnon. Mais nous ne le sommes pas tous de la même façon...

Ils ne se comprenaient pas, cela ne les gênait guère, ils n'étaient pas là pour se comprendre. Monsieur Fiore avait mis en marche sa radio, il ne cessait de tourner son bouton, de chercher une autre musique, aucune ne lui plaisait, il prit le relais.

– Le juge ne t'a posé aucune question ?

– Il m'a serré la main, précisa Ali, il a été courtois.

– Cela ne signifie rien, coupa Monsieur Fiore, ils sont toujours courtois.

– Il ne m'a posé aucune question... aucune

26

vraie question... il m'a dit que deux gardiens m'avaient reconnu... je le savais... j'ai dit que c'était faux, je suis innocent, j'ai tout nié.

Monsieur Fiore objecta :

– Tu as eu tort de nier. Il ne faut jamais nier. En niant, tu compliques leur boulot. Ils t'en veulent.

– Je suis innocent, répéta Ali à voix très basse pour laisser mourir la conversation.

– Avec ta gueule..., murmura Georges Tulle, et il passa derrière le rideau.

Il s'y installa.

Personne ne parlait plus. Ali faisait semblant de ne rien entendre, de ne rien sentir, Monsieur Fiore le regardait, cela l'amusait Monsieur Fiore ce jeune étudiant dégoûté, puis il eut pitié, il lui parla presque paternellement :

– T'en fais pas... dans huit jours ton cul sera aussi constipé que ta tête... de toute manière on s'habitue.

Il commença à se hisser sur son lit, difficilement, il était fatigué et maladroit, Ali fit un geste pour l'aider, Monsieur Fiore le repoussa.

– Ici, mon petit, chacun se démerde seul.

Il retomba lourdement, le ventre sur le drap, et s'endormit.

Ali se coucha aussitôt, pour essayer de réfléchir. Ses problèmes, il devait les résoudre vite, depuis trois jours il n'avait rien fait que subir son malheur. D'habitude il écrivait à sa mère une fois par semaine, de préférence le samedi. C'était demain jeudi. Il fallait, pour qu'elle ne soupçonnât rien, qu'il fît sortir une lettre dans les deux jours. Il devait en prévoir une douzaine d'autres, car son affaire pouvait durer entre deux et trois mois. C'était la principale difficulté. Ali ne connaissait pas dix personnes. Il examina chaque cas, soigneusement. Il ne pouvait écrire à l'oncle Yvon, le frère de son père, qui vivait à Saint-Brieuc, l'oncle ne ferait rien, sinon peut-être prévenir sa mère. Stéphanie, la seule fille qu'il fréquentât vraiment, était téléphoniste chez un notaire, ils n'avaient été ensemble que par un peu de plaisir et beaucoup d'habitude, il craignait qu'elle ne s'affolât, elle parlerait au notaire. Ses quatre ou cinq camarades – les seuls qu'il côtoyait à la fac –, ils devaient tout ignorer, la fac aussi. La propriétaire de sa chambre, une vieille dame, demi-folle, il l'avait rencontrée par Stéphanie, elle encaissait le loyer tous les trimestres, parfois elle oubliait, il serait dehors avant qu'elle n'ait rien su. L'urgence était qu'Ali touchât sa bourse et les prochains mandats de sa mère pour disposer d'un peu d'argent et organiser sa défense. Tout le ramenait à Luc et à l'avocat.

Luc, il l'avait connu au lycée Charlemagne. Arrivé d'Alger, Ali n'avait en France aucun ami. Sa mère lui avait promis qu'il en trouverait vite, de toute manière elle était sûre que, pour faire des études sérieuses, il fallait vivre à Paris. Le jour même de la rentrée scolaire, Ali avait rencontré Luc. Luc était grand, fort, sûr de tout, il militait à l'U.N.E.F., il avait pris Ali sous sa protection. Depuis, ils se voyaient presque tous les jours, ils couchaient souvent l'un chez l'autre, ils échangeaient leurs livres, leurs dettes, parfois, rarement, leurs amies. Ali se sentait l'obligé de Luc, Luc était satisfait de le savoir. Pour suivre Luc, Ali s'était inscrit en droit, à Villetaneuse. « Le droit débouche sur tout et là-bas on travaille bien », lui avait vaguement expliqué Luc, sûr de le persuader. Pour plaire à Luc, il l'avait accompagné à la manif. « Il faut que tu voies ça... un type comme toi ne peut vivre à l'écart de son temps... » Au début de la manif ils étaient restés côte à côte, puis quand avait commencé la bagarre avec les flics, Luc avait disparu, sans doute avait-il réussi à filer, Ali ne savait pas comment, en tout cas son ami n'avait pas été arrêté, il était trop malin. Pendant la garde à vue les policiers avaient pressé Ali de questions : « Qui t'a convoqué ? Qui t'a entraîné ? – Personne... je suis venu par curiosité. » On ne l'avait pas cru. Le problème était de joindre Luc, de faire sortir une lettre qui lui demanderait secours. Monsieur Fiore assurait que l'on pouvait passer par les surveillants ou par les avocats. Georges Tulle prétendait le contraire.

Maintenant ses deux compagnons ronflaient. Parfois une lumière venue du couloir filait très vite, éclairant un instant la porte, puis la nuit reprenait toute sa place, un pas traînard s'éloignait. L'avocat devrait démontrer aux juges que les témoins se trompaient, ou, mieux, persuader les témoins eux-mêmes de leur erreur. Ce ne serait pas commode. Déjà plusieurs noms d'avocats avaient été glissés à Ali, les noms d'excellents spécialistes de ce genre d'affaires, qui connaissaient bien la police, et les juges. L'avocat de Monsieur Fiore était trop occupé, et trop cher. Celui de Georges Tulle présentait l'avantage de bien plaider, mais il venait peu en prison, et il refusait de sortir les lettres. Un surveillant avait promis à Ali de lui indiquer le meilleur, il se renseignerait très vite.

Ali sentit que le sommeil le gagnait. Il ne pouvait plus suivre son idée, il lui semblait qu'il était recroquevillé dans un pneu. Il voyait partout des avocats, ils agitaient les bras, ils couraient dans tous les sens. Le choix pouvait attendre demain. Demain il écrirait ses lettres. Il avait replié ses genoux contre sa poitrine, joint ses mains entre ses genoux. Il se sentait entouré, protégé. Il était bien.

III

– Tu es un grand garçon maintenant... huit ans c'est plus que l'âge de raison... tu peux tout comprendre... tu es si intelligent... écoute-moi, je dois te parler... tu es grand...

Ali faisait semblant de travailler, assis à la table, le stylo à la main. Depuis plus de deux heures il entendait sa mère s'agiter, dans la pièce à côté, marcher, s'allonger sur son lit, se lever, déplacer un objet, ouvrir et fermer la fenêtre, se coucher, marcher à nouveau. Il savait qu'elle voulait lui parler, qu'elle n'y parvenait pas. Cela faisait trois jours qu'elle tourniquait autour de lui, dès qu'il rentrait de l'école, qu'elle venait à tout moment l'embrasser, le rembrasser, « Ali, tu sais comme je t'aime », il voyait qu'elle était au bord des larmes, il détournait doucement la tête : « oui, maman », elle répétait : « je t'aime », il lui prenait la main, elle commençait de parler : « tu sais... », et puis elle le serrait dans ses bras, ou bien elle s'enfuyait. Cela tourmentait Ali, qu'elle fût si anxieuse, il aurait bien voulu lui parler le

31

premier, mais ce n'était pas son rôle, il ne pouvait que lui faciliter la tâche, être gentil, attentif, s'appliquer à sourire. Cette fois-ci, elle était entrée dans sa chambre, décidée à aller au bout.

Elle s'était placée derrière lui. Elle lui tenait la tête entre les deux mains. Elle ne voyait pas le regard d'Ali. Il ne voyait pas le sien.

– Ali, tu dois comprendre... ton papa et moi, il va falloir que l'on se quitte... pas se quitter... juste se séparer... à cause de son travail il est obligé de rester à Rennes, c'est moi qui m'en irai... mais on continuera de s'aimer lui et moi... on se verra comme avant... tous les deux on s'occupera de toi... tous les deux... simplement on ne vivra plus ensemble. Pour toi, ça ne changera rien... ce sera même mieux, tu auras deux maisons, tout se passera bien...

Il savait à peu près tout des histoires entre son père et sa mère. A table ils mangeaient sans mot dire, les dîners n'en finissaient pas, Ali devait seul les occuper, il racontait sa classe, tous les détails de sa classe, les promenades dans Rennes, les jeux à Saint-Melaine, il décrivait l'institutrice et chacun de ses camarades, il parlait tout le temps, pour combler les trous, il ne supportait pas leur silence. Passé le dîner, ils venaient, l'un après l'autre, l'embrasser dans sa chambre, plus jamais ensemble. Il les entendait converser des heures, dans la pièce contiguë, son père n'arrêtait pas de marcher, jamais ils n'élevaient la voix, jamais Ali ne comprenait un mot, mais il devinait à peu près tout, deux fois il avait entendu sa mère pleurer, étouffer ses pleurs, ils discutaient jusqu'à deux ou trois heures du matin, lui il veillait sur eux, il était obligé d'attendre qu'ils se couchent, qu'ils se taisent, alors il pouvait dormir. Cela le fatiguait. Au matin ils lui trouvaient mauvaise mine. « C'est le travail », expliquait-il. Il était le premier à l'école.

Ali pressentait qu'ils allaient se quitter, qu'ils n'en pouvaient plus d'être côte à côte, chaque jour leur adieu devenait plus proche. Il savait que sa mère aimait un autre monsieur, un Algérien comme elle, bien plus jeune que son père, et très élégant. Le monsieur était venu trois fois, le soir après le dîner d'Ali, son père faisait un stage à Paris. Sa maman s'était préparée des heures pour l'accueillir. Elle avait dénoué ses longs cheveux que d'ordinaire elle assemblait en chignon. Elle était belle, si fragile, radieuse aujourd'hui. Elle avait dressé la table dans sa chambre à coucher. Ali avait entendu sa maman rire avec le monsieur, et gémir, il avait fait semblant de dormir, elle avait ri et gémi si fort qu'elle avait eu peur de l'avoir éveillé, elle était venue le voir, heureusement il dormait à poings fermés, elle l'avait embrassé. Tous les jours elle guettait le courrier, après le départ du père, presque tous les jours elle ouvrait une lettre, elle s'enfermait aux waters pour la lire, puis elle conduisait joyeusement Ali à l'école. Il était heureux d'entendre sa mère rire, parfois elle chantait, mais il était inquiet de ce qui se tramait, du visage fermé de son père qu'aucun sourire n'éclairait plus, des silences qui les écrasaient tous les trois, des affreux dimanches

33

où ils ne savaient plus comment passer des heures, il était triste de ne pouvoir les aider.

– Tu t'en doutais, Ali, dis-moi tu t'en doutais.

Elle serrait sa tête, fiévreusement.

– Oui, maman.

Il corrigea :

– Un peu... un petit peu...

Il avait été indiscret, ne dormant pas quand venait le monsieur, il ne voulait pas que sa mère s'en doutât. Elle soupira :

– Tu es le plus intelligent.

Elle lui caressa longuement les bras, puis elle fixa ses mains sur les épaules de son fils.

– Ali, il faut que je te parle... Ali, comprends-moi... Ton papa veut que tu restes avec lui... ici... c'est chez lui... il a raison... Moi je vais retourner à Alger... c'est mon pays... ici je n'ai pas de travail... là-bas tout est plus facile pour moi... ne t'inquiète pas, c'est tout près... je viendrai très souvent... tu viendras aussi... tout le temps des vacances... il y aura beaucoup de vacances... le téléphone est automatique... c'est mieux que tu restes ici, pour les études, ton père y tient... il a raison... je ne te quitte pas... je ne te quitterai jamais...

Il n'y pouvait rien, les larmes montaient, il essayait de les refouler, en regardant fixement le tableau au-dessus de sa table, des fruits dans un compotier, les larmes étaient plus fortes que lui, elles coulaient sur son livre, sur ses mains, sa maman les voyait, il voulait n'importe comment la consoler.

– Oui, maman... on se verra tout le temps.

Sa maman partait vivre avec un autre homme, un Algérien comme elle, là-bas, dans leur pays, elle le laissait ici avec son père lugubre, tous les soirs seuls à table, l'un en face de l'autre, seul le matin pour faire son café, seul sur le chemin de l'école, sa maman là-bas, qui riait, qui gémissait, tenant le monsieur par la main, lui, seul, attendant son papa le soir, mettant la table, écoutant la clef dans la serrure. « Bonsoir papa. » Papa ne répondrait rien. Ali n'oserait lui montrer ses devoirs, il ne les lui avait jamais montrés. Il ne lui présentait que ses notes. « François, je suis fier de toi », concluait son père. Et il prenait un livre. « Surtout, ne me dérange pas. »

Ali se leva, se retourna. Il souriait, il aurait voulu que son sourire remplît son visage. Elle était soulagée, sa maman, contente d'avoir dit l'essentiel, contente que tout se fût bien passé. Il se jeta dans ses bras. Elle s'assit, le serrant contre elle, elle le couvrit de baisers.

– Tu verras, Ali, ce n'est rien... c'est juste un mauvais moment... nous serons heureux... ensemble nous irons au soleil.

Il la voyait sur la plage, au soleil, les seins nus, comme elle avait fait, l'an dernier, quand ils avaient été en vacances à Quiberon. C'était la première fois. Son père s'était détourné, Ali aussi.

Il avait froid, si froid qu'il tremblait. Sa mère s'en aperçut, elle le serra plus fort. Elle répétait :

– Mon chéri... mon chéri...

— Elle ne savait plus rien dire, lui non plus. Il se mit à réciter, comme dans ses fables :

— Nous serons heureux... nous serons heureux...

Il ajouta :

— Je travaillerai bien.

C'était facile !

Elle prit le train le lendemain. Ils allèrent tous trois à la gare. Le temps du trajet Ali leur raconta l'histoire de France, tout ce qu'il avait appris. Elle ne desserra pas les dents, son père non plus. Sur le quai, il s'appliqua encore à les distraire, calculant la vitesse des trains.

Quand elle fut dans le wagon, son père le prit par la main :

— Viens, nous n'attendrons pas le départ.

Elle était à la fenêtre, figée, belle, elle lui souriait. Il fit un geste de sa main libre. Son père l'entraîna.

IV

Ali ne s'attendait pas à être si vite appelé à l'avocat. Décidément son affaire marchait bien. Trois lettres étaient parties pour sa mère, une pour Luc, par l'entremise de Monsieur Fiore qui avait complaisamment insisté. Quel chemin prenaient-elles ? Monsieur Fiore ne voulait rien dire, « secret professionnel », expliquait-il, mais il promettait le résultat. Ali avait eu raison d'être confiant, le surlendemain il avait reçu une réponse, un mot de Luc rédigé comme un télégramme : « Ne t'en fais pas, je m'occupe de tout, je t'écrirai, courage, la justice l'emportera. » C'était bien Luc ce style haché, presque militaire, la liberté, la justice, le progrès, la vérité ! Ali aurait aimé une lettre plus longue, qui lui parlât vraiment. Mais Luc devait être prudent, l'essentiel était qu'il fît le nécessaire.

Pour choisir l'avocat, Ali avait hésité presque une journée. Le surveillant avait oublié de lui rapporter des informations. L'avocat de Monsieur Fiore n'acceptait que de grosses affaires. Quand

Georges Tulle fut appelé au parloir, Ali lui remit une lettre pour l'avocat, sollicitant son concours. Georges Tulle revint, mission remplie :

– Ça marche. Il te prend. Il accepte d'être payé par mensualités... Il ira voir le dossier... Il fait ça pour moi... il n'aime pas les affaires politiques. J'suis pas sûr qu'il te servira à quelque chose, mais au moins il sera là. Il plaidera bien, il parlera de toi, ça te fera plaisir... il te tiendra la main.

Et comme Ali paraissait ému, Georges Tulle avait conclu :

– Il ramassera tes larmes.

L'avocat n'avait pas attendu deux jours pour convoquer son nouveau client. Ali se dit qu'il avait de la chance et qu'il lui fallait ne pas rater cette entrevue.

Ali fut heureusement surpris par le parloir où l'attendait l'avocat. C'était une pièce minuscule, séparée du couloir par une cloison de vitre, une pièce toute propre, jaune presque citron, et qui sentait la peinture fraîche. L'avocat, assis devant une petite table, était enfoui dans son journal. Il se leva quand son client fut devant lui, il lui tendit chaleureusement la main. L'avocat n'était guère plus grand qu'Ali, tout rond, de grosses lunettes cachaient une bonne part de son visage, il fit beaucoup de gestes, ouvrit sa serviette, sortit un dossier, le feuilleta, en prit un autre, retira ses lunettes, les remit.

– Merci... Maître..., murmura Ali, ... merci de vous occuper de moi.

– C'est normal, répondit l'avocat d'une voix qui résonna, et il s'assit, montrant à Ali l'autre chaise :

– Assieds-toi.

Ali répéta :

– Merci, Maître, et il attendit.

Il avait été à peine surpris que l'avocat l'eût tutoyé, les avocats devaient tutoyer la plupart de leurs clients, en tout cas les jeunes, et les Arabes. Un silence s'installa. L'avocat avait la tête qui réfléchissait. Ali avait décidé de commencer par le plus difficile, ensuite il aurait l'esprit libre.

– Maître, pardonnez-moi, Georges a dû vous parler, pour les honoraires...

Ce mot le brûlait, il fut content d'avoir réussi à le sortir. L'avocat ne laissa pas son client continuer.

– Je sais, je sais... ton ami m'a dit tes problèmes... je n'aime pas ces solutions... je n'y suis pas habitué... six mille francs en six mois... je suis d'accord, je veux bien, mais ce n'est pas du tout une bonne formule. J'accepte parce que tu m'es sympathique... Tu n'as pas de la famille qui pourrait améliorer ça ?

– Je n'ai personne.

– Ta mère ?

– Je ne veux surtout pas la mettre au courant.

– Pauvre vieux.

L'avocat s'agita sur sa chaise :

– La reconnaissance, c'est fini... Autrefois, je l'ai connue, maintenant les clients oublient leurs avocats dès qu'ils sortent... Tout ce que nous avons fait pour eux ils s'en moquent.

Ali s'empressa :

– Je tiendrai mes promesses.

– Je te crois, soupira l'avocat, je te crois... je vous crois tous.

Il s'était levé. Il tournait autour d'Ali, à grandes enjambées, les mains dans les poches, les yeux allant du sol au plafond. Parfois, pour mieux se concentrer, il s'arrêtait, croisant les bras :

– Ton affaire n'est pas bonne... nous devons voir la vérité en face, elle n'est pas bonne du tout.

– Oui, Maître, je sais, répondit Ali, il était surtout soucieux d'approuver son avocat.

– Trois témoins qui accusent, c'est plus qu'il n'en faut pour être condamné, assura l'avocat,... beaucoup plus qu'il n'en faut... trois policiers par surcroît. Pas la moindre contradiction dans ce qu'ils disent... pas la moindre absurdité. J'ai vu le juge... je le connais... c'est presque un ami... c'est un très bon juge... peut-être le meilleur... mais trois témoins... trois policiers !

Ce que disait l'avocat inquiétait Ali. En même temps il était satisfait que l'avocat eût étudié le dossier, qu'il eût parlé au juge. Il intervint très doucement, comme pour signaler un infime détail.

– La première fois, la victime ne m'a pas reconnu. Elle ne m'a désigné qu'à la seconde confrontation.

L'avocat porta sa main à son front :

– C'est vrai, c'est tout à fait vrai. Ce point m'a frappé.

Ali crut pouvoir insister :

– Quand le brigadier Dubosc m'a reconnu à la police, la seconde fois, on lui avait déjà lu les deux témoignages...

– C'est important, concéda l'avocat.

Il se promenait de long en large, et de plus en plus vite :

– Qu'il y ait deux ou trois témoins, c'est pareil... c'est trop... comment remonter ça... il faudrait d'autres témoins pour dire le contraire... Personne d'autre ne t'a vu ?

Minutieusement Ali raconta à l'avocat la manif, la marche vers la Chambre des députés, la charge de la police, la bagarre, et comment il avait été arrêté par deux gardiens de la paix qui savaient, eux, qu'il était innocent. Un moment l'avocat s'assit, ouvrit un carnet, prit des notes, puis il se releva, de nouveau il se promena.

– On fera ce qu'on pourra, dit-il.

Et il soupira très fort, pour marquer la difficulté de sa tâche.

– Il n'y a pas que ça. Il y a que tu es incapable d'expliquer ce que tu allais faire à cette manifestation. Il y a que tu es algérien.

– Maître, je ne suis pas algérien, corrigea Ali le plus poliment qu'il put. Je suis français. Mon père était inspecteur des impôts. J'ai vécu douze ans à Rennes. Après...

L'avocat parut ne pas l'entendre :

41

– Tu es le seul Algérien pris dans cette affaire.

Ali fit un geste.

– Je parle des apparences, corrigea l'avocat. Et tu es le seul qui nie les faits.

– Je suis innocent, dit Ali.

– J'aperçois plusieurs éléments positifs, enchaîna l'avocat. D'abord tu es délinquant primaire. Puis tu n'es inscrit à aucun parti, tu ne milites nulle part. Ça c'est bon. Il résulte du dossier que tu ne connaissais pas les autres étudiants arrêtés. Tu n'appartenais pas à leur groupe. Ça c'est très bon. Enfin tu m'as rappelé que ton père était fonctionnaire. Ce n'est pas inutile.

La voix de l'avocat était devenue aimable, presque familière. Ali se réjouissait que l'avocat estimât sa famille.

– Maman est fonctionnaire au ministère de l'Énergie.

– A Paris ?

– A Alger.

– Ah ! fit l'avocat, visiblement déçu.

– Je suis étudiant à Villetaneuse, en première année de droit.

– Je sais, mais ceci est indifférent, expliqua l'avocat. Chez les étudiants, il y a le meilleur et le pire... de toute manière, dans votre manifestation il n'y avait que des étudiants.

Il marqua une longue pause et reprit, sur un ton de confidence :

– Il faut que tu saches que les juges n'aiment pas les étudiants...

42

Ali se dit que l'avocat exagérait. Georges Tulle l'avait prévenu, l'avocat avait l'habitude de faire valoir les mauvais côtés du dossier, moins pour accroître ses mérites que pour se donner du cœur à l'ouvrage. Il ne fallait pas, avait conseillé Georges Tulle, le contrarier dans sa vision catastrophique des choses.

L'avocat se rassit. Ali comprit que l'entretien touchait à sa fin.

— De toute manière, je reviendrai avant ton interrogatoire... réfléchis... vois si tu ne pourrais pas découvrir un témoin, au moins un témoin de moralité, qui viendrait dire que tu es un type très calme, très sérieux, il ne faudrait pas faire venir un étudiant bien sûr, mais quelqu'un de digne, de décoré si possible, qui ferait impression... peut-être un de tes professeurs... pas un excité... il faut rassurer les juges... réfléchis... je tâcherai de retrouver les deux flics qui t'ont arrêté... mais c'est très compliqué... c'est impossible... à l'audience il nous faudra créer un climat, un courant de sympathie...

Il ferma sa serviette, la prit entre ses mains, et soudain il dit à Ali :

— Je n'aime pas la politique...

— Moi non plus, répondit Ali. Je ne fais pas de politique. Je ne suis inscrit nulle part.

— Tu n'en fais pas un peu quand même ?

Jamais Ali n'avait entendu son père ni sa mère dire un mot de politique. Au lycée, il n'avait fait que travailler, il fuyait tout débat, la politique ne concernait pas des gens comme lui. Luc était la première personne qui lui en avait vraiment parlé.

– Non, je vous le promets, dit Ali.

– C'est curieux, dit l'avocat, généralement les Algériens, en France, font de la politique. Pourquoi donc es-tu allé à cette manifestation ?

– Comme ça, pour voir.

– Quand on n'aime pas la politique, conclut l'avocat, on ne va pas dans les manifestations.

Il regarda sa montre et se leva, signifiant à Ali que le temps était passé. Ali se souvint de tout ce qu'il avait préparé et qu'il n'avait pu dire. Ils n'avaient fait tous deux qu'aborder son affaire. Il n'osait retenir l'avocat, et pourtant sa défense était devenue son travail, sa vie, il devait exposer à l'avocat tout ce qu'il notait concernant son dossier, tout ce qu'il retenait, classait, triturait, le jour, la nuit, cette énorme défense qu'il accumulait. Il aurait dû aussi reprendre, à la fin, la question des honoraires qu'il avait bâclée au début, et trouver des formules pour exprimer sa reconnaissance. Mais l'avocat ne pensait plus qu'à s'en aller.

– Maître, vous me permettez de vous écrire ?

L'avocat parut étonné :

– Bien sûr, écris-moi... dis-moi tout ce qui te vient à l'esprit...

Ils s'étaient tous deux écartés de la table, l'avocat avait ouvert la porte du parloir, poussant, d'un geste amical, Ali vers le couloir. Un surveillant s'était rapproché, il se tenait un peu à l'écart pour ne pas entendre les derniers mots échangés.

Quand Ali fut presque dehors, l'avocat lui dit gentiment :

– Je reviendrai... garde courage.

Il tendit la main à son client. Caillou se dit que dans un instant il serait trop tard, que cette nuit il serait malheureux de s'être montré si maladroit, si médiocre, il attendit pour prendre la main de l'avocat, gagnant un peu de temps, et il dit précipitamment :

– Je suis innocent, Maître, je suis innocent.

L'avocat parut impatienté.

– Tu me l'as déjà dit.

Ali insista :

– Je suis innocent, Maître, croyez-moi.

L'avocat alla chercher la main d'Ali à demi tendue. Il la garda un moment dans la sienne.

– Tu me dis que tu es innocent... je te crois... mais ce n'est pas le problème.

Et, détournant la tête, il interpella le surveillant :

– Appelez-moi le suivant.

V

Les premiers jours, tout avait marché très vite,
la manif, la police, la prison, le juge, l'avocat, des
vagues de peur qui n'arrêtaient pas de déferler,
des tas de décisions à prendre, et tout le temps à
réfléchir. Maintenant il ne se passait plus rien.
Ali était entré dans ses habitudes, ses habitudes
en lui. La prison découpait le temps en morceaux
toujours les mêmes, le réveil à sept heures, le
petit déjeuner, la toilette, le rangement, la promenade, le déjeuner à midi, la promenade encore, le courrier, le dîner, après le dîner le travail,
quatre ou cinq heures de travail sur son affaire ou
ses polycopiés, mais la radio braillait à tue-tête, à
vingt-trois heures on éteignait les lumières, commençait la nuit qui durait des nuits, eux ils n'arrêtaient pas de ronfler, ils semblaient n'avoir aucun souci, lui il ne dormait pas, ou guère, il n'arrêtait pas d'étudier son affaire, d'inventer de nouveaux arguments, il partait à la recherche de faits
minuscules qu'il avait eu tort de négliger, il
s'était procuré une lampe de poche, enfoui dans

la couverture il prenait des notes qu'il envoyait à l'avocat, mais l'avocat ne répondait pas.

Depuis quinze jours, plus rien. Ali était au fond de son affaire, il la remuait comme une boîte de conserve vide, cent fois raclée, il se sentait vide comme elle, il n'avait plus d'idées, il n'avait même plus les mots pour écrire à l'avocat. Il se disait que les témoins, eux, dormaient bien, qu'ils étaient reposés, tranquilles. Ils prenaient sur lui un formidable avantage. Ali avait demandé des vitamines, tous les matins il faisait de la gymnastique, Monsieur Fiore lui servait de professeur. Les surveillants le trouvaient très abattu. On lui proposa de voir le médecin, au moins un psychologue. Il refusa. Il savait par avance qu'il lui faudrait raconter son histoire, on la lui arracherait par petits bouts, on parlerait de son père, de sa mère, de leur séparation, de l'Algérie. De toute manière, l'essentiel il ne saurait pas le dire, c'était né avec lui, ses parents n'y pouvaient rien, il n'avait jamais été un enfant. Cela ne s'expliquait pas, ses parents étaient des enfants, sa mère surtout qui courait d'un caprice à l'autre, riant et pleurant, toujours exaltée, son père aussi était un enfant d'un autre genre, à ne rien voir autour, à ne rien faire que son métier, hors de la vie, mort d'absence. Ali avait été forcé d'être grand, il n'avait pas eu le choix, bien sûr il leur avait laissé l'apparence des premiers rôles, ils jouaient leurs rôles, mais lui il portait ses parents, il les élevait, il était seul à s'en occuper, eux ils allaient à leurs plaisirs, le travail, l'amour, les repas, ils étaient

47

pris dans leurs jeux, lui jamais, il était en charge d'eux, il les protégeait de sa tendresse, de ses calculs. Cela, ni même le reste, il ne pourrait le dire sans les trahir. D'ailleurs le médecin ne comprendrait pas, cela ne ressemblait à rien. « Tu as tort, avait objecté Georges Tulle, le médecin c'est un bon moment... il ne te parle que de toi... » Ali ne voulait pas qu'on parlât de lui. Seulement de son affaire. Et de son affaire il n'y avait rien à dire. Le juge se taisait. L'avocat se taisait. Son affaire semblait mourir. Il dépérissait avec elle.

Ce dimanche, c'était l'anniversaire de Monsieur Fiore. Celui-ci avait annoncé qu'il organiserait une fête. Georges Tulle avait objecté :

– Avec quoi ?

Monsieur Fiore avait répondu :

– Avec tout.

Ali détestait les dimanches. Il les avait toujours sentis venir, dès le samedi, épais, figés, comme d'énormes nuages. Le matin, son père l'emmenait promener à Saint-Melaine, toujours le même itinéraire jusqu'à la dernière promenade, ils n'échangeaient pas dix mots. Puis on allait acheter la tarte aux pommes, on déjeunait en silence, et le temps n'avançait plus. Ali regardait sa montre, c'était toujours la même heure ou presque, il n'y avait aucun bruit, il restait le travail, mais le travail lui-même était écrasé. Ça s'arrangeait un peu le soir, quand venait l'odeur du lundi.

Monsieur Fiore avait tout réuni pour sa fête : du pâté de foie, du pain à toast, du camembert, des gâteaux, deux bouteilles d'un bordeaux supé-

48

rieur – les surveillants avaient accepté de fermer les yeux – et même une nappe, une serviette blanche et propre comme une nappe, qu'il avait étalée par terre car la table était encombrée. Sur l'ordre de Monsieur Fiore, Ali avait fait le ménage, il avait tout nettoyé, même la cuvette des waters, il avait soigneusement installé le couvert. Ça n'intéressait pas Georges Tulle qui soupirait :

– Hier, c'était la fête de mon fils. En tout cas, il porte mon nom. Je n'ai pas eu de ses nouvelles.

Georges Tulle détestait les fêtes, il détestait tout ce qu'inventaient les autres, il n'avait plus le cœur à rien inventer.

– Georges est un râleur, avait expliqué Monsieur Fiore, un râleur résigné.

Lui, Monsieur Fiore, il n'était pas résigné. Toujours il imaginait quelque chose.

– La prison, c'est mieux que l'hôtel, c'est moins cher, et le service est meilleur.

Il avait fixé le dîner à 7 heures, et invité deux surveillants pour être tranquille.

– Ce sont des amis, avait-il expliqué, ils ne viendront pas, mais je devais les inviter.

Ils vinrent, juste pour dire bonjour, ils observèrent, le plus discrètement qu'ils purent, s'il ne se passait rien d'anormal, ils burent un fond de verre de bordeaux. Monsieur Fiore parlait tout le temps, heureusement, parce que Georges Tulle faisait la sale tête, et Ali n'aurait pu dire un mot.

– Chers amis, dit Monsieur Fiore aux surveil-

lants, je lève mon verre à votre santé... à la Santé...

Il éclata de rire.

– Prenez des forces, messieurs... vous resterez
en prison plus longtemps que moi...

– Ce n'est pas sûr, objecta un surveillant, levant
son verre.

Ils rirent tous, Ali fit semblant. Les surveillants
se retirèrent.

– Surtout ne faites pas de bruit... et demain
rendez-nous les bouteilles...

– Nous sommes les champions du silence, assura Monsieur Fiore, et il fit hurler la radio, le
temps que ses invités s'éloignent.

Monsieur Fiore paraissait avoir épuisé sa verve
dans la préparation du repas. Maintenant ils
étaient tous les trois assis en tailleur, mal assis,
bougeant sans cesse, ils mangeaient sans mot
dire, sauf des riens, qu'ils trouvaient le pâté bon,
le vin fabuleux, que c'était une vraie fête. Georges Tulle faisait exprès de se taire, Ali aurait voulu donner de la chaleur, il ne savait comment faire, Monsieur Fiore semblait grave, presque triste,
les yeux fixés sur l'assiette aux gâteaux, comme
s'il rêvait à d'autres fêtes. Dix ans de prison derrière lui, pensa Ali, Monsieur Fiore était sûr d'en
prendre, cette fois-ci, dix ou quinze, il était tout
voûté, son dos lui faisait mal, chaque année le
vieil homme devait recommencer cette fête, ce
pâté, ce bordeaux, avec d'autres, des passants, des
ombres, un jour il crèverait en cellule, entre deux
anniversaires, sans rien déranger. Ali aurait voulu

50

l'embrasser ou l'inviter dehors à une fête fantastique, mais c'était idiot. Pour Monsieur Fiore la vie et la prison ne se séparaient plus, rien que ses petits plaisirs inventés, arrachés, ses astuces, et aussi les objets et les lieux familiers, sa manière de repos. Depuis longtemps personne n'embrassait plus Monsieur Fiore, des fêtes fantastiques dehors il n'y en aurait plus, dehors, dedans, pour lui c'était pareil, les fêtes autant les faire ici que les rêver ailleurs.

Ils étaient au bout du repas. Ils n'avaient pas échangé vingt mots. Ils étaient pris dans le silence, comme dans un drap, le silence et le repas c'est tout ce qu'ils avaient ensemble. Ils savaient qu'ils n'auraient rien d'autre à partager, ce partage leur suffisait.

Soudain Monsieur Fiore sortit de sa torpeur. Avec une politesse forcée, comme un hôte qui interroge ses invités, pour les faire valoir, il demanda à Georges Tulle :

– Quand passes-tu au tribunal ?

– Je n'en sais rien, répondit durement Georges Tulle, dans six mois... dans un an... je m'en fous... j'aime autant la préventive. Mon avocat s'en fout aussi... il se fout de tout.

Il disait cela pour inquiéter Ali. Monsieur Fiore le comprit :

– Ce n'est pas vrai, objecta-t-il. Ton avocat est un bon avocat.

Il réfléchit un moment :

– Il connaît bien les juges...

– Ils se connaissent tous, assura Georges Tulle.

C'est les mêmes gens... ils se marient entre eux...

Il but un grand coup de bordeaux, leva la tête, et jeta sur un ton provocant :

– D'ailleurs, ils font le même métier.

Ali n'osait intervenir. Eux, ils parlaient d'expérience. Lui, il avait appris les choses autrement. Monsieur Fiore n'avait jamais fait aucune étude, il ne savait pas lire. Georges Tulle avait arraché son certificat « par fraude », assurait-il. Tous les deux appelaient souvent Ali « monsieur l'étudiant ». « Un étudiant bicot, s'étonnait Georges Tulle, on n'a jamais vu ça. » Monsieur Fiore lui avait conseillé de devenir juge. « Monsieur le président Caillou, on se retrouvera un jour... prévenu Fiore, levez-vous ! Tu me mettras le minimum... l'ennui, c'est qu'on ne se reconnaîtra pas. »

Pour être juge, pour être n'importe quoi, il fallait être acquitté. Ali ne pensait qu'à son affaire. Il risquait de perdre son temps, à bavarder avec eux. Leurs problèmes étaient différents des siens. Ils étaient coupables. Ils discutaient sur des détails. Pas lui.

Dès qu'on parlait des juges, Monsieur Fiore devenait intarissable. On aurait dit qu'il les avait tous rencontrés.

– Ils nous détestent, expliqua-t-il, c'est normal... les avocats ne nous détestent pas... on les paie... c'est la différence.

– Tu voudrais payer les juges ? objecta Georges Tulle.

– Tu dis des bêtises, répliqua Monsieur Fiore. Chacun fait son métier. Le policier arrête, le surveillant surveille, et le juge condamne. Le reste, c'est la sauce.

– Et l'avocat ? interrogea Ali.

– L'avocat, c'est plus compliqué, concéda Monsieur Fiore. Il est trois quarts du côté du juge, un quart de notre côté. C'est le quart que nous payons...

Les lourdes formules de Monsieur Fiore, toujours les mêmes, le tenaient en verve.

– En payant bien, ajouta-t-il, on peut grossir le quart.

Ali n'en pouvait plus d'entendre ce discours.

– Je te remercie, dit-il à Monsieur Fiore, mais je suis fatigué.

Et il ajouta :

– Pour moi, c'est autre chose... je suis innocent.

– Cela t'empêche de manger, constata Monsieur Fiore, cela t'empêche de dormir... cela ne t'empêchera pas d'être condamné.

– Ce n'est pas sûr, objecta Georges Tulle, Monsieur est étudiant.

– La justice, continua Monsieur Fiore, c'est comme la vie... il faut plaire. Tu n'as qu'une question : comment vas-tu plaire aux juges...

Un moment il parut réfléchir, se perdre dans ses souvenirs, et il reprit :

– Moi, je n'ai pas de problème, je déplais forcément.

– Je serai acquitté, trancha Ali.

Il regretta aussitôt sa fausse assurance. Mais il ne pensait plus qu'à dormir.

– Alors débrouille-toi pour leur plaire, conclut Monsieur Fiore.

– Et change de gueule..., grommela Georges Tulle.

Ils étaient retournés à leurs soucis, chacun comptait sur l'autre pour laver les assiettes sales sur la cuvette des waters, ils laissaient le vin dans les verres, ils étaient tout à fait séparés, Monsieur Fiore s'était donné trop de mal, toujours la même erreur, on attendait trop des fêtes, il y avait la fièvre des préparatifs, beaucoup de gestes, l'espoir montait, et puis tout retombait d'un coup, comme un soufflé, la fête était finie avant d'être commencée, ils avaient dû apprécier le repas, ils ne lui avaient rien dit, ou si peu, d'ailleurs il s'en foutait, Monsieur Fiore, de leur plaisir, ils ne méritaient pas cette soirée, ils ne méritaient rien de lui, ils prendraient le maximum avec leur avocat criard et gesticulant...

– Je veux être acquitté, répéta Ali, et il se leva pour aller à son lit.

– Tu es un snob, trancha Georges Tulle, et il lécha son assiette.

– Pas un snob, corrigea Monsieur Fiore, mais un enfant gâté.

Il se laissa tomber en avant, la tête sur la nappe. Presque aussitôt il se mit à ronfler.

VI

Le père s'abîmait dans la mélancolie. Il quittait la maison tous les matins vers six heures, il avait besoin de marcher avant d'aller au bureau, sa santé l'exigeait, et il voulait réfléchir. Le soir son travail le retenait très tard, il rentrait après que son fils eut dîné, il allait le trouver dans sa chambre, il vérifiait ses notes, il posait deux trois questions, il l'embrassait sur le front, puis il s'enfermait dans la cuisine pour préparer son repas. Trois ans avaient passé depuis le divorce, il n'avait jamais bougé un meuble ni un objet, on aurait dit qu'il vivait dans un musée, il ne remplaçait jamais rien. On manquait d'assiettes, et de verres, ce n'avait pas d'importance, personne, jamais, ne venait partager un repas, juste une ou deux fois par an l'oncle Yvon qui arrivait de Saint-Brieuc pour visiter son frère, visiblement sans plaisir, avec l'allure du devoir accompli, et quelques rares dimanches un collègue, toujours le même, qui apportait un gâteau, ces dimanches le père faisait l'économie de la tarte. L'été, quand

Ali rejoignait sa mère en Algérie, son père restait à la maison, désert dans la ville déserte. Au retour des vacances, Ali le retrouvait à peu près dans la position où il l'avait laissé, assis sur une chaise de la salle à manger, avec un livre à la main toujours ouvert en son milieu. Ali n'osait rien dire à son père, surtout pas l'interroger ni lui donner conseil, simplement il lui rendait compte de ses études, qui marchaient très bien. Jamais on ne parlait de l'absente, elle était présente sur plusieurs photos, elle était avec eux deux, l'enfant dans les bras de sa mère ou debout entre eux, les tenant par les mains, le père n'avait pas enlevé les photos, mais son regard bien habitué ne les rencontrait pas. Il ne prononçait pas le nom de l'absente, il ne parlait pas d'elle, il ne répondait pas au téléphone, Ali comprenait pourquoi. Un seul soir il en parla, elle avait téléphoné trois fois en deux heures, pour organiser les vacances d'Ali. « Ta mère appelle trop souvent », avait observé le père, et depuis lors, sitôt que sa mère avait appelé, Ali débranchait l'appareil. Elle s'était vite remariée, elle avait eu deux enfants, « ton frère et ta sœur qui t'adorent », disait-elle dans toutes ses lettres, elle travaillait au ministère, son mari avait été nommé sous-directeur. Elle semblait toujours riante, et remuante, elle avait beaucoup grossi, cela déplaisait à Ali, l'été elle avait l'air heureuse quand Ali arrivait, heureuse aussi quand il repartait, elle lui parlait peu de ses études à lui, beaucoup de sa santé à elle. Jamais elle ne lui disait mot de son père.

Si sa maman n'avait pas été si loin, son père si

triste, Ali aurait été content. Il vivait avec son travail, et rien que pour lui. Les livres, et les cahiers s'étalaient autour de lui, sur la table, sur le tapis, ils s'étiraient comme des chats. Rangés dans son plumier, ses crayons, ses stylos, se bousculaient pour son service, ils se disputaient, dès qu'il les touchait, le plaisir d'être choisis. Tous, gentiment, discrètement, accomplissaient leur tâche. De son côté Ali veillait sur eux avec tendresse, il protégeait de papier bleu livres et cahiers, il les traitait avec grand soin, le soir il les rangeait pour qu'ils dorment bien. De même, avant de se coucher, il classait les stylos et les pointes, par taille, par couleur, selon leurs affinités, pour leur éviter la solitude. Tous ils construisaient pour lui un monde et un temps préservés de l'hostilité du dehors, une communauté d'amis. Parfois Ali se couchait par terre. Il s'endormait le cahier sur le cœur ou sur le ventre. Il sentait le poids léger des pages, la douce égratignure des coins. Son travail lui tenait chaud.

A l'école, Ali était le premier en tout, sauf en dessin et en gymnastique. Il eut peur que cela prît fin, quand il fallut entrer en sixième, s'inscrire au lycée. Son père l'avertit :

– Cette fois-ci c'est sérieux. Les professeurs ne plaisantent plus. Tu n'as pas eu de mal à être le meilleur. L'école est pleine de fainéants. Maintenant il faudra t'accrocher.

Bien sûr Ali ferait l'impossible pour rester le premier, il travaillerait davantage, tout le dimanche s'il le fallait, et la nuit. Mais il avait peur de cet ébranlement du monde, les nouveaux bâtiments, les nouveaux professeurs, des camarades qu'il ne connaissait pas, tous ceux qui venaient de l'école privée, il les imaginait plus assurés, mieux habillés, en tout cas différents. Il avait peur aussi qu'on le regardât, à cause de sa tête. A l'école il y avait dans sa classe cinq Arabes, il ne leur parlait guère, mais ils étaient là. Au lycée il risquait d'être le seul, son nom ne suffirait pas à le protéger, au contraire son nom compliquait les choses. Ali mesurait les épreuves qu'il devrait surmonter, ce jour terrible de la rentrée. Il avait repéré plusieurs fois l'itinéraire qui conduisait au lycée. Il avait même réussi à entrer dans la cour, elle lui avait plu. Dans son cartable neuf, il avait rangé tous les instruments utiles pour un premier jour, chacun en plusieurs exemplaires. Il avait calculé la meilleure manière d'être vêtu pour passer inaperçu. Les jours qui précédèrent la rentrée il répéta tous ses gestes, il apprit par cœur les meilleures réponses aux questions qu'il imaginait. Et il partit, très en avance.

Cela se passa bien. Autour de lui, les garçons se bousculaient et riaient. Pourquoi rire ? Lui il souriait pour avoir une contenance, et tenter de désarmer les autres. Sans peine il découvrit le point de ralliement de sa classe, il y retrouva plusieurs camarades de l'école. Il observa qu'il devait être l'un des plus jeunes, il avait à peine onze ans. Quand ils entrèrent dans la salle de classe, il se mit au second rang, vers la gauche, pour n'être pas dans le champ d'observation du professeur qui s'était installé, debout sur l'estrade, attendant avec dignité que ses troupes s'ordonnent. Puis le professeur daigna sourire, s'assit, fit un geste avenant. Ali avait remarqué qu'il y avait tout au fond de la classe un Arabe, un Noir aussi. Le professeur avait commencé l'appel des noms. Le tour d'Ali venait, il avait peur.

– Caillou Ali-François.

Ali s'était levé. Le professeur le regarda étonné :

– Votre nom s'écrit comment ?

– Comme un caillou, répondit Ali.

Quelques-uns rirent, Ali regretta cette réponse idiote. Sans commentaire, le professeur avait repris sa litanie. Le voisin d'Ali fit tomber son stylo. Ali se hâta de le ramasser, il fut récompensé d'un sourire. Oui, décidément, tout se passait bien.

Au lycée, il avait vite fait son trou. Les professeurs l'appréciaient. Il travaillait comme un forcené, il s'asseyait le dernier, il souriait toujours. Ses camarades l'avaient admis. Il se sentait loin d'eux, comme venu d'ailleurs, et vivant autrement. Il ne pouvait les ramener à la maison. Il n'osait pas aller chez eux. Il tâchait de leur rendre quelques petits services, de cacher cette distance. D'eux il n'attendait rien. Leur présence, leur absence le laissaient indifférent. Son seul plaisir c'était son travail, ses devoirs, ses leçons.

Son père devenait de plus en plus neurasthénique, il maigrissait à vue d'œil. Il regardait les notes du fils sans mot dire, il ne le félicitait plus. A la fin de la cinquième, Ali lui annonça qu'il aurait probablement des prix dans toutes les matières, sauf en dessin et en gymnastique.

– Le dessin et la gymnastique, répondit son père, c'est essentiel. De toute manière c'est en troisième que les études deviennent difficiles. Jusque-là c'est un enfantillage.

La promenade du dimanche, la tarte avaient été supprimées. Maintenant son père devait aller au bureau le dimanche, comme tous les jours. Il réduisait de mois en mois le peu d'argent de poche qu'il donnait à Ali, avec toujours le même commentaire :

– Mon traitement ne suit pas l'inflation... ce n'est pas mon fait. Tous nous devons nous serrer la ceinture, toi comme moi.

Ali rêvait d'avoir une bicyclette pour aller au lycée. Un soir il ramassa tout son courage, et quand son père entra dans sa chambre, pour voir ses notes, il osa lui demander :

– Papa, s'il te plaît, j'aurais besoin d'une bicyclette.

– Et moi, répliqua son père, j'aurais besoin d'une voiture.

Et comme Ali avait paru fâché, son père avait ajouté :

– Demande donc à ta mère... les Arabes sont riches.

Ali s'était dressé, furieux, blême. Ils étaient face à face, ils se regardaient méchamment, le père leva la main, Ali partit en courant, il claqua la porte, dans la rue il s'élança comme un fou, il marcha des heures.

Ce drame, le seul, ils n'en parlèrent jamais. Et tout recommença comme avant. Le silence était leur vie, chaque mot une bizarrerie. Ali se disait parfois qu'il devrait fuir, rejoindre sa mère, aller n'importe où, que son père ne l'aimait pas, qu'ils ne pouvaient plus rien l'un pour l'autre, qu'ils deviendraient fous à la longue, mais il savait qu'il n'aurait jamais la force de partir, que son devoir était d'être présent, qu'on n'abandonnait pas son père presque noyé. Il se trouvait lâche, ou héroïque, plutôt lâche. Un jour l'idée lui vint, et elle revint, que son père pourrait mourir, qu'il n'y avait pas d'autre solution à leur histoire, la vie de son père ne ressemblait à rien, lui il retrouverait sa mère, la mort de son père ce serait un moment terrible à passer, ensuite tout serait différent, joyeux, facile, comme dans les autres maisons. Et il se reprocha d'avoir pensé cela.

Au début de mai, son père fut hospitalisé. L'oncle Yvon vint s'installer à Rennes. Tous les soirs désormais, quittant le lycée, Ali se rendait à l'hôpital. Tous les soirs son père lui paraissait plus décharné, plus absent. Le huitième jour l'oncle Yvon parla à son neveu, près de la fenêtre, très bas pour que le père n'entendît pas.

– François, tu es grand, je dois te dire la vérité, ton père est atteint d'un cancer du foie... il ne tiendra pas jusqu'à l'été.

Ali s'en était douté. Il aurait voulu que son père tînt jusqu'à la distribution des prix, pour lui porter, avant qu'il ne meure, les bonnes nouvelles. Maintenant Ali venait aussi le matin, avant les classes, et le soir il restait tard, aussi tard qu'il était permis. Souvent son père semblait le reconnaître, il essayait de sourire, mais cela faisait des années qu'il ne savait plus. Il voulait dire quelque chose, c'était un grognement incohérent, Ali ne comprenait rien, Ali hochait la tête en souriant. Des heures leurs mains restaient jointes. S'étaient-ils mieux parlé ?

Le père mourut le 20 juin, huit jours avant la distribution des prix. On l'enterra à Vitré, au cimetière de famille. Ali et son oncle marchaient en tête, et derrière eux cinq collègues qui s'étaient dérangés. La mère d'Ali n'avait pu venir, elle avait adressé un télégramme. L'oncle Yvon s'occupa de tout. Il avertit son neveu qu'il devrait quitter l'appartement au plus tard le dernier jour de l'année scolaire. Ali commença de ranger ses affaires. Sa mère lui téléphona qu'elle l'aimait, qu'elle l'attendait à Alger. Elle lui envoya un mandat pour le train et le bateau.

Il passa les huit derniers jours à errer dans l'appartement, que l'oncle avait déjà déménagé ne laissant que les meubles nécessaires. Il n'y avait plus un objet, plus une photo. Parfois les nouveaux locataires venaient, s'excusaient, ils posaient leurs malles. Ils remerciaient Ali de vouloir bien les garder.

Ali n'avait qu'une valise. Il dut jeter la plupart de ses livres et de ses cahiers, pour ne conserver que les plus importants. Toute la nuit qui précéda la distribution des prix, il fit un dernier tri. Comme il hésitait sur chaque bouquin, sur chaque papier, il n'eut pas le temps de dormir. Il partit au petit matin, pour déposer sa valise à la consigne de la gare. Au buffet il prit un, puis deux, puis trois cafés, il avala plusieurs croissants, et il se rendit au lycée pour recevoir ses prix. Dix fois il fut appelé sur l'estrade, le proviseur l'embrassa sur les deux joues, de tous côtés on l'applaudissait. Personne n'était venu pour lui.

Chargé des livres qu'il avait reçus, Ali retourna à la gare. Il les plaça dans sa valise, elle était si bourrée qu'il ne put la fermer qu'en sautant dessus. Il prit le train pour Vitré, puis le bus jusqu'au cimetière, sa valise à la main. La pluie n'arrêtait pas. Il pataugea dans la boue jusqu'à la tombe, il s'étonna qu'elle ne fût plus ouverte, comme au jour de l'enterrement. Il regarda la pierre de granit sombre, « Caillou », son nom dix fois écrit, des morts jeunes, des morts vieux, son grand-père, sa grand-mère, aucun il ne les avait connus. Son père n'était pas encore inscrit.

Il ouvrit la valise sur une pierre voisine, à peine, pour que la pluie n'entrât pas, il sortit, un par un, tous ses livres de prix, il les posa sur la tombe, à la dernière place, juste sous sa grand-mère, là où serait sans doute gravé son père, il les mit en deux tas, la pluie les trempait déjà, c'était mieux que des fleurs, son père n'avait jamais regardé les fleurs, des livres de prix c'est tout ce qu'il eût aimé.

Brusquement Ali reprit l'un des livres, c'était *La Légende des siècles,* il préférait le garder pour avoir, lui aussi, un souvenir. Il ferma sa valise, il resta un moment figé, les yeux fermés. Il n'avait jamais prié, il se dit que c'était comme une prière. Puis il se remit en route.

Quand il arriva à la gare de Vitré, la nuit était tombée. Il fut rassuré d'être en avance. Il acheta un journal, des biscuits, et par précaution il passa sur le quai. Deux soldats discutaient sous un réverbère, indifférents à la pluie. Ali enfila son imperméable, marcha vers l'autre bout du quai. Il s'assit sur le dernier banc, la valise entre les jambes, pour attendre le train de Paris.

VII

Un jeudi soir, l'avocat réapparut.

– Il faudra faire vite, dit le surveillant qui prévint Ali, le parloir ferme à six heures.

Il était six heures moins vingt. Ali se précipita, emporta les paquets de notes qu'il avait rédigées et corrigées pour l'avocat. Celui-ci l'attendait debout.

– Excuse-moi, j'avais des tas de détenus à voir. Il ne nous reste qu'un quart d'heure... c'est plus qu'il ne nous faut.

Il ne s'assit pas, Ali resta debout, de l'autre côté de la table, ses papiers à la main, heureux d'être là, épouvanté des minutes qui allaient trop vite. L'avocat parlait d'une voix saccadée, elle ne laissait le temps d'aucune question, elle tenait Ali très loin.

– Tu seras interrogé lundi... j'ai vu ton juge... je le connais bien... il est parfait... il veut en finir... il ne veut pas que tu restes en préventive... dès lundi soir il transmettra le dossier au Parquet... il

65

a raison, il faut faire vite... l'affaire est simple... en ce moment le tribunal est bien composé... cela peut changer... le juge a raison... il faut en finir...

Un surveillant était venu jusqu'à la porte, discrètement il avait tapé sur la vitre un très petit coup.

– On vient, on vient, avait dit l'avocat.

Il rassura Ali :

– Il nous reste dix minutes. Ils sont pressés... ils sont toujours pressés d'en faire le moins possible... c'est partout pareil... c'est le règne des fainéants...

Ali n'osait l'interrompre, ces dix minutes comptaient trop, toute son affaire pouvait en dépendre, il avait peur que l'avocat n'oubliât quelque chose d'essentiel, il ne fallait surtout pas le troubler.

– Le juge t'entendra d'abord. Puis il te confrontera avec l'un des deux flics, celui qui t'a reconnu le premier. L'autre ne viendra pas. Il a été muté à Strasbourg. Il a écrit pour confirmer ses dépositions. Celui-là nous fichera la paix...

L'avocat semblait soulagé, presque optimiste ce soir. Il parlait, tenant des deux mains sa serviette bourrée, il la posait violemment sur la table, au bout des phrases, comme pour scander son discours. Le problème d'Ali était de tout entreposer dans sa mémoire, chaque mot, chaque intonation, pour y réfléchir ensuite.

– Le brigadier Dubosc ne viendra pas non plus. Il a écrit. Lui aussi il confirme toutes ses déclarations. Il oublie seulement qu'elles sont contradictoires. Le juge l'a remarqué, il connaît le dossier à merveille, c'est positif... ça m'arrange que le juge ne voie pas la victime... la confrontation avec la victime n'est jamais bonne, la victime gémit, elle étale ses blessures, le juge se prend de sympathie... le brigadier Dubosc a envoyé un certificat médical, et une photo... le certificat médical je m'en moque, le juge aussi s'en moque, les médecins disent n'importe quoi, mais la photo m'ennuie... elle est en couleur... la balafre paraît énorme, l'œil encore gonflé... vous avez cogné comme des brutes... rien de plus bête que la politique !

Il était trop tard pour qu'Ali protestât, l'avocat devait savoir que son client n'avait pas cogné, mais l'avocat parlait en général, sur le dossier, pas sur Ali, le gardien venait maintenant toutes les minutes frapper sur la vitre, un coup léger puis deux.

– On vient, on vient, répétait l'avocat, et quand le gardien s'éloigna : Quels imbéciles, ils n'ont rien d'autre à faire que d'emmerder les avocats.

Ali voulait obtenir de l'avocat une impression d'ensemble, un diagnostic sur son affaire.

– C'est mauvais pour moi, tout cela ?

L'avocat le regarda, étonné, presque mécontent, comme si Ali n'avait rien compris.

– Mauvais ? Pourquoi mauvais ? Il y avait trois témoins, il n'en viendra qu'un. Une heure d'interrogatoire, une demi-heure de confrontation. A quatre heures tout sera fini. Ça tombe bien, j'ai une autre instruction à ce moment...

– Mais les lettres..., murmura Ali.

– Peu importe, assura l'avocat. L'essentiel c'est que les témoins ne viennent pas. Leurs lettres ne comptent guère. Et s'ils ne viennent pas c'est qu'il y a des raisons, des raisons étranges, ces raisons je les devine, je les mettrai en évidence...

Il avait tendu le bras, son doigt désignait la fenêtre, on ne sait quoi derrière la fenêtre, un faux témoin qui se cachait, un conciliabule qu'il dénonçait. On aurait dit qu'il allait plaider. Ali était content, l'avocat aussi, ils partagèrent presque un moment d'euphorie, puis l'avocat laissa lourdement tomber :

– Les absents ont toujours tort.

Cette fois le gardien s'était installé derrière la porte, la main appuyée sur la vitre.

– Il faut s'en aller, plaisanta l'avocat, sinon ils vont me mettre au trou.

Ali lui tendit ses notes.

– Merci, dit l'avocat, je tâcherai de les lire demain, avant l'interrogatoire, mais n'écris pas trop.

Il se souvint qu'il avait une lettre pour Ali, il la sortit de sa poche.

– Tiens, ton ami est venu. Il m'a remis ça pour toi. Je déteste qu'on me fasse jouer les facteurs... je l'ai lue sa lettre... il n'y a rien dedans... pour les honoraires c'est en ordre. J'ai dit à ton ami qu'il ne compte plus sur moi pour t'apporter son courrier... A lundi... prépare-toi... surtout ne parle pas

68

trop... c'est un bon juge, tu sais, il connaît son dossier, il n'aime pas les bavards... il n'a pas besoin de dessin....

L'avocat serra chaleureusement la main de son client et partit. Ali s'approcha d'un surveillant pour s'offrir à la fouille. Un grand morceau de couloir les séparait déjà, quand l'avocat se retourna, hurlant presque :

– Monsieur Caillou... Monsieur Caillou...

Ali et le surveillant se dressèrent :

– Monsieur Caillou, j'ai oublié de vous dire... les deux policiers qui vous ont reconnu, ce sont ceux qui vous ont arrêté... il n'y en a pas d'autres... il n'y en a que deux... pas quatre... à lundi, monsieur Caillou.

Ali resta immobile. Le surveillant le poussa par l'épaule.

– N'écoute pas. On n'est pas au Palais ici. Il est interdit de crier...

Et comme Ali ne bougeait pas, le gardien le bouscula.

– Marche donc, tu n'es pas paralysé. Ici on n'en a rien à foutre des cris des avocats.

Quand Ali entra dans la cellule, Monsieur Fiore observa qu'il n'était pas bien.

– Ils vont à l'avocat pleins d'espoir, commenta Monsieur Fiore, ils reviennent déprimés, et ça recommence...

– On m'interroge lundi, lui dit Ali.

– Lundi, c'est dans un siècle, déclara Monsieur Fiore. D'ici lundi il y aura la guerre, et peut-être la fin du monde... ne t'en fais pas petit,

69

les avocats t'enfoncent, et puis ils te remontent, ils t'enfoncent, ils te remontent, c'est leur métier.

Ali s'était assis sur son lit, pour lire la lettre de Luc que lui avait remise l'avocat. Monsieur Fiore avait repris son éternel discours, tout y était prétexte, il pérorait, pour Ali, pour la foule, pour personne.

– Ne t'inquiète pas... un interrogatoire c'est rien... le juge a tout dans la tête, les questions, les réponses, le timing – il avait dit « timing » avec une grosse satisfaction, il répéta : « le timing » –, l'interrogatoire c'est un rite – ce mot aussi parut lui plaire –, le juge pense pas à toi, il s'en fout de toi, il pense à son dossier...

Monsieur Fiore cracha son chewing-gum, il se lécha les doigts puis il feignit de feuilleter un dossier, de chercher un procès-verbal :

– Ton juge, il pense surtout à sa carrière, il y pense tout le temps à sa carrière, et toi, toi Ali, tu dois aider à sa carrière, ton affaire doit l'aider...

Luc c'était son seul ami, pas vraiment son ami, plutôt son maître. Luc avait lu des tas de livres, il connaissait le monde, il jugeait les gens, il séparait les vraies valeurs des fausses, il n'hésitait jamais. Dès le premier jour il avait pris Ali sous sa protection, Ali avait accepté cette répartition des rôles, elle ne le gênait pas, parfois elle le rassurait. Il voyait bien ce trop-plein d'assurance, ce gâchis de convictions, à certains moments son ami l'insupportait, mais n'importe, Luc avait toujours un projet en tête, il tirait Ali du travail, il l'entraînait.

Luc lui écrivait que tout allait bien. Il se débrouillait pour toucher les mandats, il portait régulièrement l'argent chez l'avocat. Il s'était renseigné sur celui-ci, c'était l'un des meilleurs, parmi les moins chers. Les journaux avaient parlé de la manif pendant deux jours, puis plus rien, on n'avait pas prononcé le nom d'Ali. A la fac, on croyait Ali malade. Luc espérait même se procurer un certificat médical. Stéphanie pensait qu'Ali était retourné en Algérie. Le seul problème était la mère d'Ali... là Luc ne pouvait rien. Luc condamnait la détention provisoire, les brutalités policières, l'ordre capitaliste, les marchands d'armes, il était de cœur avec son ami, il voudrait l'aider davantage, il lui disait de garder confiance. Ali se demandait pourquoi cette lettre le laissait insensible, il se reprochait d'être ingrat.

— Pour aider ton juge, tu dois être un bon prévenu.

Rien ne pouvait arrêter Monsieur Fiore.

— Qu'est-ce qu'un bon prévenu ? C'est un coupable. C'est plus qu'un coupable. C'est un coupable qui s'excuse.

— Le vieux schnock n'a pas fini ? interrompit Georges Tulle.

— Moi je suis innocent, dit doucement Ali, déchirant la lettre de Luc en très petits morceaux pour la jeter dans les toilettes.

— C'est le juge qui est innocent, reprit Monsieur Fiore.

Et il resta un instant silencieux, comme s'il s'attachait à comprendre ce qu'il venait de dire.

Georges Tulle était excédé.

– Tout ça, c'est des conneries, dit-il, il n'y a que le hasard. La justice c'est la loterie... sauf qu'on est toujours perdant.

– Alors c'est pas la loterie, trancha Monsieur Fiore, et il fit hurler la radio pour être sûr d'avoir le dernier mot.

Ali n'écoutait pas. Pendant des mois, après la mort de son père, il avait fait le même rêve qui l'éveillait au petit matin. Au moment où il montait sur l'estrade pour recevoir ses prix, on entendait un cri, juste derrière une colonne, à gauche au fond de la salle. L'assistance se retournait. Son père était debout, dressé sur une énorme pile de livres, enveloppé dans une grande chemise blanche, trop courte, comme à l'hôpital, son visage était livide, ses yeux fermés. Il montrait Ali du doigt, il disait : « c'est lui, c'est lui », d'une voix mauvaise, personne ne bougeait, personne ne soufflait, Ali était figé sur une marche, le proviseur tendait les bras, Ali voulait tendre les siens, il s'apercevait qu'il n'avait plus de bras. Maintenant Ali s'appliquait à retrouver ce rêve dans le moindre de ses détails, comme s'il s'agissait de son affaire, ce lui semblait urgent de le reconstituer intégralement, il ne savait plus si son père avait les yeux fermés ou creusés, il s'était allongé sur son lit pour mieux ramasser ses souvenirs, la radio ne le gênait plus du tout, il cherchait à quel moment il avait perdu ses bras, après qu'on eut appelé son nom puisqu'il avait pu retirer son imperméable pour monter sur l'estrade, avant que la police ne chargeât, il était sûr qu'il n'avait plus ses bras quand la police avait chargé, son père criait : « c'est lui, c'est lui », Ali n'avait pas pu frapper, Ali apportait une preuve décisive, mieux qu'un alibi, il lui manquait ses bras pour frapper. « C'est lui, c'est lui », répétait le juge. Ali voulait appeler l'avocat, il ne pouvait parler, il regardait partout, l'avocat n'était pas là.

VIII

Il était posé à Alger comme un voyageur entre
deux bateaux, il avait laissé sa valise ouverte, il la
laissa trois ans. Quand il était arrivé, sa mère avait
beaucoup pleuré, beaucoup ri, les premiers jours
elle n'arrêtait pas de l'embrasser, « mon Ali, mon
Ali chéri », elle lui avait donné la chambre des
enfants, eux ils couchaient dans le living-room,
elle lui répétait qu'il était le plus beau, le plus
intelligent, qu'il savait tout par cœur, mais il la
sentait différente, comme appliquée à l'entourer.
La vie de sa mère la tenait maintenant à distance
de lui, ses enfants, son mari, son travail, ses sœurs
elle en avait quatre, elle les voyait presque chaque jour. Bien sûr son fils elle en restait fière, elle
le regardait comme un prodige, mais c'était un
voyageur, un passant. Ali aimait bien le beau-
père, grand, mince, beaucoup moins africain que
lui, avec des cheveux qui descendaient dans le
cou, et ses lunettes d'intellectuel. Ce monsieur
lui parlait toujours avec une exquise courtoisie,
comme un hôte, tous les soirs il lui demandait de

ses nouvelles, il s'assurait sans cesse que le fils de sa femme ne manquât de rien. Tant d'amabilité confondait Ali, il débordait de gratitude. Le fils avait trois ans, la fille deux ans. Ali essayait de les distraire, il imaginait des jeux, il leur racontait des histoires qu'ils ne comprenaient pas, mais il racontait bien, il s'ingéniait à les séduire.

Au lycée, tout allait sans problème. Sa classe comptait sept ou huit Français, une trentaine d'Algériens, Ali était des uns et des autres, tous l'aimaient bien, il était le meilleur, il travaillait beaucoup plus que les autres, et il savait se le faire pardonner. Les professeurs le jugeaient très doué. En quatrième Ali eut tous les prix, en troisième il manqua le prix de français. Un de ses amis l'emporta, c'était le fils d'un professeur du lycée, il avait lu Gide, il en parlait tout le temps, il imitait son style. Au contraire Ali était plein d'adverbes, il en mettait partout, il y avait toujours des nuances à ajouter, en plus, en moins, qui imposaient des adverbes. Pour cela il n'eut pas le prix, mais il n'y attacha pas d'importance. Lui et le disciple de Gide ils se tenaient en mutuelle estime, ils échangeaient des tas de compliments. Ali se dit qu'en seconde il reprendrait son prix. Il décida de lire au moins cinq livres par semaine, il tint parole, et il fit la guerre aux adverbes.

Le soir, après les classes, ses camarades allaient errer dans la ville. Ali les suivit d'abord pour ne pas se faire remarquer. Bientôt il y prit plaisir. Ils allaient n'importe où, par hasard, en bande, Ali découvrit la rue, personne ne le voyait, il marchait sans savoir, il regardait les devantures, ses amis savaient le chemin, il n'avait pas à choisir, il aimait le plein soleil qui faisait mal, et puis, au détour d'une rue, l'ombre qui le surprenait, parfois ils s'asseyaient tous sur le trottoir, ils regardaient l'encombrement des voitures, ils écoutaient le tintamarre, ils vivaient ensemble, ils ne savaient plus l'heure, tout devenait immobile, les voitures n'avançaient plus ni les nuages. Parfois aussi ils allaient à la plage, Ali se couchait, il fermait les yeux, il découvrait des paillettes d'or qui glissaient dans sa nuit, il se jetait dans l'eau, il jouait comme un enfant, comme à Quiberon, il faisait semblant de savoir nager, il se laissait rouler par les vagues, « comme un caillou », lui avait dit un camarade. Et pour s'excuser de rester au bord, Ali répétait : « Je ne suis qu'un caillou. » Il riait.

Un jour, trois camarades l'emmenèrent au bordel. Ils étaient plus vieux que lui, habitués. Lui, il se masturbait, depuis des années, plusieurs fois par jour, par plaisir, par habitude, il y mettait chaque fois son rêve, une vedette de cinéma, une fille rencontrée dans la rue, une autre qu'il inventait, il prenait les fesses à l'une, les seins à l'autre, avec toujours de longs cheveux, parfois, pour un plus grand plaisir, il assemblait deux filles, il les nouait, ou encore il les mettait debout, les seins contre les seins à peine frôlés, elles se provoquaient du regard, il brûlait, il prenait tant de plaisir qu'il n'avait pas besoin de vraies filles,

le plaisir d'ailleurs il s'en méfiait, il y alla quand
même pour y être allé. Ils étaient quatre, il n'y
avait que trois putains, ils tirèrent au sort, l'un
resta dans la rue. Ali tira la plus grosse, elle était
plutôt laide, mais elle avait l'air prévenante. La
chambre était dégoûtante. Elle lui demanda :
« Quel âge as-tu ? » pendant qu'il se déshabillait.
Dans sa tête, c'était le plus difficile de se désha-
biller, ses mouvements seraient forcément ridicu-
les, il ne savait que faire de ses chaussettes, il
mettait toujours des chaussettes dans ses baskets,
il poussa du pied les chaussettes sous le lit, puis
les baskets, délicatement, pour être sûr qu'ils ne
s'en aillent pas trop loin. « J'ai dix-huit ans »,
répondit-il. Il n'en avait pas seize. « Tu es beau »,
observa-t-elle. Il savait qu'elle disait ça pour l'en-
courager, elle voyait bien qu'il était un débutant,
elle y mit du sien, cela se passa bien, ce fut même
agréable, elle lui dit de se rhabiller pendant
qu'elle se laverait. Ali l'imaginait énorme, ac-
croupie, s'aspergeant entre les cuisses, les ho-
quets de l'eau lui faisaient mal au cœur, il voulait
surtout être habillé quand elle reviendrait, elle
traînait, sans doute exprès, il lui dit merci. Elle
l'embrassa sur le front, elle répéta : « merci ».
Avec un sourire, elle ajouta : « Reviens quand tu
veux. » Il revint le mercredi suivant, ensuite toutes les semaines, ce devint une coutume pour lui,
peut-être pour elle, il aimait les gestes retrouvés,
ce plaisir sans anxiété, il les voulait comme ça les
plaisirs, tranquilles, répétés, pour borner la vie.

    Le judo était sa vraie passion. Là aussi, il était

venu pour faire comme les autres. Sa mère l'avait encouragé. « Tu es si petit. Il faut savoir te défendre. » Il y avait découvert une joie furieuse. Ses camarades aimaient le jeu, le sport, ils travaillaient la technique. Lui, ce qu'il cherchait, ce qui le rendait presque fou, c'était les nœuds que formaient les corps, les cuisses serrées par les muscles, c'était les bras qui broyaient les têtes, les torses qui se cognaient, les étreintes à se rompre, il aimait tordre, écraser, il aimait l'affrontement des mâles, les halètements confondus, la forte odeur des sueurs qui trempaient et collaient les corps. Il cachait son plaisir, qui lui semblait honteux, pire que le plaisir pris des femmes, peut-être avouable pour un soldat, mais grotesque chez lui, il se regardait dans la glace, si petit, presque chétif, sans épaule. Il savait aussi que son corps n'avait pas de vrai courage, ou un courage secret qu'il n'oserait jamais montrer, au lycée il se détournait dès que commençait une bagarre, il évitait le moindre incident, jamais il n'aurait accepté de se battre en public. Pourtant il avait soif de mêlées féroces, silencieuses, avec de vrais fauves qui en jouiraient comme lui. Il se disait que peut-être son sang arabe lui montait à la tête, qu'il venait taper par moments dans ses veines. Quand Ali entra en seconde, il décida de rompre avec ce plaisir qui n'était pas fait pour lui. Il ne s'inscrivit plus au judo.

La vie à Alger, il le sentait, ce n'était qu'une halte, un temps hors du temps, qu'il rêvait d'étirer, mais dont il devinait la fin. Tout lui paraissait moins compliqué qu'avant. Le travail marchait tout seul. Il suffisait de se donner un mal terrible, la récompense venait toujours ou presque. Sa mère semblait heureuse, il aurait voulu s'occuper d'elle, mais elle avait un homme qui en avait la charge, il comprenait que ce n'était plus son rôle à lui. Il appréciait ses camarades, légers, faciles. Ali recevait beaucoup de confidences, il semblait attentif à force d'être gentil, chacun lui disait son secret, lui il ne disait jamais rien, personne ne savait rien de lui. Cela lui convenait de se taire, seul il avait les vraies données de ses problèmes, seul il les comprenait tout à fait, les opinions des autres ne lui auraient servi à rien, d'ailleurs il n'avait nul besoin de s'épancher. Il était à une distance qu'il tâchait de cacher à force de prévenances, parfois il faisait semblant de parler de lui, pour plaire, pour rendre la pareille, même ce semblant lui était insupportable, il disait n'importe quoi, il se retrouvait encore plus loin, plus seul. Sa solitude il l'aimait, c'était son amitié pour soi. Il la peuplait de conseils qu'il se donnait, de conversations interminables, souvent à voix haute, parfois de discussions vives, cela ressemblait au bonheur, les gens habitaient sa vie, comme les arbres, et les nuages, sauf sa mère, sa mère il l'adorait, mais c'est elle qui se tenait maintenant loin de lui, il l'aimait trop pour la déranger.

Pourtant il croyait n'être pas égoïste. Il s'occupait beaucoup des autres, il ne s'occupait même que d'eux. Ses problèmes à lui ne l'encombraient pas, il se savait doué, et sensible, il avait bonne mémoire, ses études allaient à merveille, sa santé aussi, il n'y avait que sa tête d'Arabe, et cette difficulté encore ne tenait pas à lui, c'était les autres que sa tête dérangeait, lui il avait l'habitude, les autres n'arrêtaient pas d'en faire une complication.

Ali se disait souvent que s'il était seul, vraiment seul, tout irait mieux. Mais il y avait son père, le remords de son père, la présence de son père qui ne le quittait pas, il revenait la nuit, presque toutes les nuits, et souvent le jour, sous le moindre prétexte, son père triste à mourir, qui ne disait mot, il désignait Ali, Ali ne pouvait lui en vouloir, mais ce tête-à-tête lui faisait mal, Ali n'en finirait jamais de regarder son père mourir, de l'aider à mourir, de l'aider à tout. Sa mère grossissait trop, elle se donnait trop de mal pour ses enfants, elle travaillait tout le jour, le soir il restait les corvées dans la maison, elle n'aimait plus Ali comme avant, un amour plus tranquille, plus mécanique, peut-être parce qu'il avait grandi, elle n'aimait plus rien comme avant, elle se ridait, elle riait encore mais elle riait mal. De tous côtés Ali n'apercevait que des besognes à accomplir, des leçons à répéter, des gens qui avaient besoin de lui, il était tenu de les aider, il n'avait pas le choix, ses parents, ses amis, il lui fallait les consoler, les réjouir, cela fatiguait Ali de porter le monde, mais il n'avait pas le droit de le laisser tomber, parfois, quand il était à la plage, ou dans la rue, il déposait le monde, il s'allégeait des autres, il n'avait plus que lui-même à porter, le sable le portait, il n'était plus que du sable, le vent le soulevait, il semblait une feuille, mais ça ne durait pas.

Quand il acheva sa seconde, il pressentit que le temps d'Alger prenait fin, qu'il faudrait refermer la valise. Sa mère lui parla.

– Tu es bien trop doué... tu ne peux continuer tes études ici... tes professeurs me l'ont dit... Ali tu dois retourner en France... tu es si brillant... tu peux faire n'importe quoi... ne t'inquiète pas, je paierai tes études.

Ces mots il aurait pu les réciter avant de les avoir entendus, tout ce que lui disait sa mère, il le savait par cœur : « Là-bas, tout est facile... ne t'inquiète pas, c'est tout près... Je viendrai très souvent... tu viendras aussi... tout le temps des vacances... » Elle disait toujours la même chose, qu'elle devait partir, qu'il devait partir, qu'ils se reverraient, que tout serait facile. Les professeurs aussi le lui avaient dit, ils lui promettaient un bel avenir, il voulait devenir inspecteur des impôts, eux ils voyaient beaucoup plus loin, il pouvait être haut fonctionnaire, et même plus... il suffisait qu'il le veuille... sa mère devait l'y pousser.

Au début de septembre, il prit le bateau. Tous les quatre ils l'accompagnèrent. La veille, sa mère lui avait appris qu'elle était enceinte. Elle avait besoin de la chambre, juste une coïncidence. Ils s'embrassèrent vingt fois. Sur le quai, ils étaient des centaines à s'embrasser, à se taper dans le dos. Il monta l'un des premiers, il avait peur que le paquebot ne partît sans lui, il n'arrêtait pas de faire des signes, eux aussi, des mains agitées, des cris qui traversaient à peine, tous les adieux possibles, cela dura près de deux heures. Soudain l'équipage s'affaira, on n'entendit plus que les chaînes, et les sirènes, et le bruit de la mer soudain surgie. Il fit encore des gestes, sans plus voir les quatre qu'il quittait, aussi longtemps qu'il put, peut-être eux le voyaient-ils encore, il reviendrait toutes les vacances. Il se coucha sur le pont, dans une barque. Les étoiles il les avait apprises à Alger, il n'en avait jamais tant vu que ce soir, elles cachaient la nuit, il sentit le vent sur son visage, un vent de très loin qui l'enveloppait, et parfois le frappait. La barque se mit à danser, il plongea tout au fond de la mer, il s'élança par-delà les étoiles, il respirait à pleins poumons, il s'enivrait.

IX

Menottes aux mains, assis entre ses gardes, Ali
attendit un long temps dans le couloir, face à la
porte du juge d'instruction. Des avocats en robe
entraient, sortaient, Ali s'inquiétait de ne pas voir
le sien. Il avait appris par cœur une note en dix
points qu'il aurait voulu lui montrer avant l'interrogatoire. La greffière leur commanda d'entrer
tous les trois, sans attendre, tant pis pour l'avocat,
il prendrait l'interrogatoire en route, le juge fit
retirer les menottes de l'inculpé, il lui ordonna de
s'asseoir sur un ton sec qu'Ali ne reconnut pas.
C'était pourtant son juge, mais il semblait aujourd'hui placé dans un nouveau rôle qui l'obligeait à plus de dureté.

Ali avait décliné son identité quand l'avocat
entra brusquement, tout essoufflé. Il se précipita
pour serrer la main du juge, il s'inclina deux fois,
puis, tandis qu'il s'asseyait, il sourit à son client.
Ali fut rassuré de sentir son avocat tout proche,
de le voir en robe noire, d'admirer sur sa robe
plusieurs décorations.

– Ça va ? interrogea l'avocat, à voix très basse, presque penché sur Ali.

– Oui, Maître, répondit Ali.

Il était trop tard pour qu'il récitât sa note, et c'était désolant. Maintenant son seul souci devait être de bien se tenir. Ali avait très légèrement tourné sa chaise vers l'avocat, afin d'en observer le moindre signe.

Le juge commença par lire les lettres qu'il avait reçues de la victime et de celui des témoins qui ne pouvait se présenter.

– En gros, commenta le juge, ils confirment leurs déclarations...

Et, tourné vers l'avocat, il ajouta aimablement :

– C'est dommage pour votre client qu'ils ne viennent pas... j'aurais aimé les confronter avec monsieur Caillou... en l'état nous devons rester sur leurs accusations.

Ali fut déçu, il croyait que leur absence lui était plutôt favorable.

L'avocat objecta :

– Monsieur le juge, vous savez que la victime s'est contredite. La première fois elle n'a pas reconnu mon client. La seconde fois elle a cru le reconnaître... ce n'est pas dénué d'intérêt...

– Elle ne s'est pas contredite, remarqua le juge, faisant tournoyer ses lunettes. Elle a précisé ses souvenirs. C'était son droit. De toute manière vous expliquerez cela au tribunal.

Aussitôt le juge donna lecture des certificats médicaux de la victime, elle avait eu deux mois d'arrêt de travail, il subsistait des maux de tête, un bourdonnement d'oreilles, peut-être un risque d'incapacité permanente. Le juge commenta :

– Le brigadier Dubosc a repris son travail sans attendre d'être rétabli. Il aurait pu ne pas le reprendre.

– Il l'a repris, constata l'avocat.

– Il aurait pu ne pas le reprendre, répéta le juge sur un ton qui ne permettait pas la réplique.

Et il passa à l'avocat la photo de la victime prise cinq jours après l'accident, puis une autre photo prise quinze jours plus tard, il avait un triste aspect le brigadier Dubosc, les photos faisaient pitié, et honte.

– C'est du beau travail, dit le juge.

Il passa les photos à la greffière pour la prendre à témoin, elle hocha la tête pour dire son émotion, le juge fut satisfait, puis il les montra à l'inculpé.

– Regardez, monsieur Caillou, qu'avez-vous à dire ?

Ce visage boursouflé, cet œil tuméfié, cette expression douloureuse, Ali était consterné, oui cette tête faisait peine, il aurait voulu dire sa sympathie, même son indignation, il ne pouvait trouver les mots, les mots étaient dangereux.

– Vous n'avez rien à dire, observa le juge, et je le comprends.

Soudain, le juge se leva pour interroger, il était presque aussi petit debout qu'assis, son costume flottait de haut en bas. Il posa à Ali des dizaines de questions, des questions prises dans des phrases très longues, d'autres en trois mots, des questions très vagues, par exemple : « Vous déclarez-vous solidaire de cette manif ? », il disait toujours la « manif », ou d'autres très précises : « Quelle heure était-il quand vous êtes arrivé place du Palais-Bourbon ? » « Buvez-vous de la bière ? Quelle marque ? En bouteilles ou en canettes ? Combien de canettes par jour ? » Les questions tombaient comme une avalanche, le juge précipitait le mouvement, quand Ali hésitait le juge concluait aussitôt : « Bien sûr vous ne savez pas... vous n'avez rien à dire. » Il ne prenait aucune note, mais il avait une fantastique mémoire, il récitait soudain les phrases qu'Ali avait prononcées quelques instants plus tôt, ou encore il répétait ce qu'Ali avait dit à la police, sans jamais se tromper, il décelait les moindres contradictions : « Pourtant vous venez de dire... à la police vous aviez déclaré autre chose... c'est votre droit de vous contredire... » Ali était effrayé. Il avait cru préparer toutes les questions, et la plupart étaient nouvelles. Il était bien forcé de reconnaître qu'il s'était plusieurs fois contredit, il ne voyait pas comment, il se tournait vers son avocat, son avocat se taisait, une ou deux fois l'avocat avait voulu intervenir, le juge l'avait rabroué : « Maître, j'interroge votre client. » Le juge décrivait très minutieusement la scène, il la mettait en question, des milliers d'étudiants regroupés aux Invalides, puis marchant vers le Palais-Bourbon, ils hurlaient, ils insultaient le service d'ordre. « Monsieur Caillou, les avez-vous entendus ? » C'était donc ça une manif pour la paix... « Qu'en pensez-vous, monsieur Caillou ? » Ali était au plein centre, entouré de ses camarades, il n'était pas l'un des chefs, il n'y avait probablement pas de chef, c'était sans doute vrai qu'Ali ne connaissait pas les autres manifestants, cet élément favorable devait être noté, le juge décrivait les policiers cernant les étudiants, la charge pour disperser les manifestants qui se rapprochaient de l'Assemblée, et soudain les bouteilles sorties des blousons, « vous les avez vues les bouteilles, cela vous ne le niez pas », tous ils avaient les mêmes bouteilles, les mêmes blousons, ils avaient tapé ensemble, tous frappaient à la tête, les matraques de la police n'étaient sorties qu'après, « vous ne pouvez le contester, tout le dossier l'établit... », les flics n'avaient fait que se défendre, Caillou avait choisi Dubosc presque aussi petit que lui, il l'avait frappé de la main gauche, quatre fois, « est-ce vrai ? est-ce faux ? », non pas en tapant sur la tête comme faisaient ses camarades, mais horizontalement, à la hauteur des oreilles, de droite à gauche, puis de gauche à droite comme pour balafrer, « deux témoins l'ont dit et répété, pourquoi ne pas le reconnaître ? », la bouteille s'était brisée au second coup, les deux autres coups n'avaient servi qu'à découper le visage, « vrai ou faux ? répondez-moi », les témoins avaient remarqué le regard haineux de Caillou, ils avaient reconnu sa main, et sa bague au troisième doigt, « monsieur Caillou, que pouvez-vous répondre à cela ? ». Le juge connaissait le drame par cœur, on aurait dit qu'il l'avait vécu, il le morcelait en petites questions, sèches, coupantes comme des lames, Ali répondait toujours : « Non, monsieur le juge », il répondait non à tout, absurdement non à tout.

– Vous étiez quand même là ?

– Non, monsieur le juge.

– Ah, vous n'étiez pas là ! C'est nouveau ça... maintenant vous contestez même votre présence...

L'avocat avait abandonné la partie. Il était muet, presque absent. Le juge occupait tout le terrain. Ali se faisait l'effet d'un boxeur, agenouillé dans un coin des cordes, il mettait ses mains sur sa tête, il ne pensait plus qu'à atténuer les coups.

– Monsieur le juge, je jure...

– Vous n'avez pas besoin de jurer.

– Je vous promets...

– Ne me promettez rien... dites seulement la vérité

– Monsieur le juge, je dis la vérité.

– Vous venez de mentir... vous venez de me dire que vous n'étiez pas allé à la manif...

Ali dut paraître bien pitoyable, le juge cessa de l'interroger.

– Monsieur Caillou... la vérité est simple... elle est très simple... il suffit de la regarder en face... maintenant je vais enregistrer vos déclarations.

Et il sourit à Caillou, comme pour lui signifier que le plus dur était passé.

Le juge s'était placé derrière la greffière, les

88

mains dans les poches, tantôt il observait l'inculpé, tantôt il vérifiait, par-dessus l'épaule de la greffière, ce qu'elle venait de taper, parfois il lui disait : « Attendez, attendez... », il rectifiait un ou deux mots, il paraissait s'agacer qu'elle eût tapé trop vite, le plus souvent il commentait comme pour lui-même : « C'est le même sens, ça ne fait rien... on verra tout à l'heure. » Le juge résumait ce qu'avait dit Caillou, ce n'était pas les mots de Caillou, mais ceux du juge. Ali comprenait que ce devait être ainsi, que ses mots à lui ne convenaient pas du tout, ils partaient dans tous les sens, il fallait les rendre cohérents, les ordonner dans le langage de la justice. Le juge traduisait ce qu'avait dit Caillou, il ne travestissait pas, parfois il disait à Caillou : « C'est bien ça ? – C'est ça », confirmait Caillou. Une ou deux fois, Caillou ne fut pas tout à fait d'accord. Il regarda l'avocat, l'avocat le rassura d'un clin d'œil. Ce n'était que des détails, ils ne valaient pas de perdre du temps. Un moment le juge dicta : « Je ne crois pas avoir vu le brigadier Dubosc. » Caillou intervint doucement :

– Monsieur le juge, je ne l'ai pas vu, j'en suis sûr.

– Tout à l'heure, objecta le juge, vous avez dit : « je ne crois pas », je dicte donc : « je ne crois pas ».

L'avocat sortit de son silence.

– Monsieur le juge, je ne crois pas qu'il ait dit : « je ne crois pas ».

– Moi j'en suis sûr..., interrompit le juge.

Il leva les épaules, pour marquer l'absurdité de ce procès d'intention.

– Madame, voulez-vous donc taper ce qui suit : « Je tiens à préciser ma pensée, en réalité je suis sûr de ne pas avoir vu le brigadier Dubosc... » Maître, ça vous convient ?

Ali se dit que c'était pire, il semblerait avoir d'abord hésité, puis s'être contredit, mais l'avocat paraissait satisfait, on ne pouvait traîner sur cette phrase. A nouveau Caillou s'émut, le plus poliment qu'il put, quand le juge eut dicté : « j'ai vu quatre camarades qui frappaient avec leurs bouteilles... », Ali ne les avait pas vus, ce n'étaient pas ses camarades.

– Monsieur le juge... je ne crois pas avoir dit cela...

Cette fois le juge parut franchement fâché.

– Vous l'avez dit tout à l'heure.

– Je ne crois pas, monsieur le juge... ce n'étaient pas mes camarades.

– Ce n'étaient pas les miens, rétorqua le juge.

– Je ne les ai pas vus.

– Vous ne les avez pas vus... vous n'avez rien vu, vous étiez à la manif, vous étiez dans le groupe des agresseurs, en tout cas vous avez été arrêté avec eux... vous avez des yeux... mais vous n'avez rien vu... Maître, vous entendez, votre client n'a rien vu.

L'avocat était gêné, on aurait dit qu'il voulait s'excuser pour Ali, il fit un petit geste de la main, pour conseiller à son client de ne pas agacer le juge. Le juge reprit sa dictée : « Je précise que ce n'étaient pas mes camarades et que je ne me souviens pas les avoir vus. »

– Cette fois, ça va ?

Ça n'allait pas encore, mais Ali ne pouvait rectifier sans exaspérer le juge, l'avocat fit signe qu'il était d'accord.

– Vous n'êtes pas facile, commenta le juge.

Il ajouta, pour détendre l'atmosphère :

– Il est vrai que vous faites des études de droit...

L'avocat sourit avec empressement, Ali se dit qu'il devait aussi sourire.

L'interrogatoire d'Ali avait duré plus d'une heure, le résumé du juge ne faisait pas deux pages. Quand le juge eut dicté les derniers mots : « Je précise que je n'ai pas revu les deux gardes qui m'ont arrêté. Je crois que je les reconnaîtrais s'ils m'étaient présentés », il y eut un long silence. Le juge méditait, la greffière attendait, les doigts sur les touches.

Alors le juge interpella Caillou, d'une voix devenue solennelle :

– Monsieur Caillou, vous connaissez le dossier. Vous savez que trois témoignages vous accablent – l'avocat fit un geste –, je répète que trois témoignages vous accablent. Mon devoir est de vous dire la vérité. Le vôtre est de me la dire aussi. Malgré cela, monsieur Caillou, vous persistez à nier...

Caillou comprit que le juge allait reprendre la dictée, qu'il allait probablement, en quelques mots, résumer toute l'affaire, que sa réponse était donc essentielle. Aucun des textes qu'il avait appris par cœur ne pouvait servir à ce moment, ils étaient trop longs, trop lourds. Ali répondit seulement :

– Monsieur le juge, je n'ai rien fait.

– Je ne vous demande pas si vous n'avez rien fait, je vous demande si vous persistez dans vos dénégations.

– Oui, monsieur le juge...

– C'est dommage, observa le juge, c'est dommage... – l'avocat remua. – Bien sûr vous êtes libre, continua le juge, vous vous défendez comme il vous plaît, mais mon devoir est de vous dire que c'est dommage.

Ali voyait que le juge ne pouvait lui faire confiance, seul comptait le dossier, ce dossier était trop lourd, Ali n'arrivait pas à le bouger, tout son travail n'avançait à rien, l'avocat semblait résigné, écrasé sous le dossier, comme son client, Ali n'avait même plus envie de parler, il ne voulait plus qu'en finir.

Il répondit, d'une voix machinale :

– Je suis innocent.

Le juge se mit à dicter :

« Sur question du juge... je déclare persister dans mes dénégations. »

– Voilà, conclut le juge, c'est tout. C'est fini, madame.

La greffière tendit le procès-verbal au juge, le juge le posa devant Caillou sur la table.

– Lisez-le avant de signer... relisez-le, il peut se glisser des erreurs...

92

Les mots étaient rigides, morts, ils ne parvenaient pas à s'assembler, les lettres étaient détachées les unes des autres, elles restaient inertes, puis elles bougeaient un peu, par secousses, on aurait dit des larves. Ali ne pouvait pas lire, il ne le voulait pas non plus, il avait peur de vexer la greffière et le juge, il était fatigué, il n'avait pas dormi la nuit dernière, on l'avait cherché vers dix heures, il n'avait pas déjeuné, un mot ou un autre ça ne comptait guère, il parapha, il signa, il déforma sa signature sans savoir pourquoi.

L'avocat s'était levé.

– Monsieur le juge, vous entendez tout de suite le témoin ?

– Oui, Maître.

Le juge regarda sa montre.

– Il n'y en a pas pour une demi-heure.

Ils étaient tous pressés maintenant, le plus gros était fait, vite le témoin, on savait ce qu'il allait dire, le juge refermerait son dossier, il en saisirait un autre, Ali prit sa tête dans ses mains.

Le témoin, en uniforme d'officier de police, salua le juge, l'avocat, la greffière, il ne remarqua pas Ali. Le juge l'invita à s'asseoir, il lui donna lecture de ses deux déclarations. Le juge lisait doucement, il forçait un peu la voix quand il touchait à un point important, parfois il confortait le texte, par des accents de conviction ou des mouvements du menton. Quand ce fut fini, le juge dit au témoin :

– Vous avez entendu vos déclarations. Vous les confirmez ?

– Oui, monsieur le juge.

Le juge dicta sans attendre :

« Je confirme intégralement les déclarations que j'ai faites à la police. Je n'ai rien à y retrancher, ni à y ajouter. »

– Nous sommes bien d'accord ? dit-il, penché vers le témoin.

– Oui, monsieur le juge.

– Ali Caillou, levez-vous... Monsieur, voulez-vous regarder l'inculpé... c'est important... réfléchissez... êtes-vous bien sûr de le reconnaître... prenez votre temps... c'est capital...

Ali était debout. Pour le regarder mieux, le témoin s'était levé aussi. A quatre ou cinq pas l'un de l'autre, face à face, ils semblaient avoir le même âge, le témoin à peine plus vieux, plus grand, les yeux comme ceux d'Ali, très noirs, une fine moustache, il avait l'air grave, il réfléchissait, il savait l'importance du moment, il avait l'uniforme impeccable, le regard presque doux, il forçait la sympathie, Ali le revoyait comme à la police, deux fois ils s'étaient ainsi regardés, ils avaient été intimidés, ils avaient échangé un sourire, Ali baissa les yeux, le témoin aussi, ils attendaient, ils étaient mal à l'aise.

– Vous le reconnaissez ? interrogea le juge.

– Oui, monsieur le juge.

– A quoi ?

– Monsieur le juge, je confirme toutes mes déclarations.

– C'est vous qui l'avez arrêté ?

– Oui, monsieur le juge.

– Ali Caillou, vous entendez ?

Ali entendait bien, mais il lui semblait maintenant qu'il était étranger à cette scène, à cette histoire, il entendait de loin. Il se rassit. L'avocat vit son trouble.

– Mon client est fatigué, monsieur le juge.

– Il y a de quoi, remarqua le juge, de toute manière c'est fini.

Le juge dicta encore quelques mots :

« Vous me mettez en présence d'Ali Caillou. Je le reconnais formellement. C'est moi qui l'ai arrêté, je suis sûr de ne pas me tromper. »

Le témoin signa sans relire, il se leva, il salua le juge, l'avocat, la greffière, il ne vit pas l'inculpé, il attendit l'autorisation du juge pour ouvrir la porte, une dernière fois il s'inclina. Ce n'avait pas duré un quart d'heure.

L'avocat se tenait maintenant debout, tout près du juge, comme pour faire, ou recevoir, une confidence.

– Aucun problème, assura le juge, je communique aujourd'hui... pas question de traîner... regardez tout ça...

Il prenait l'avocat à témoin, des dossiers il y en avait partout, sur la table et sur le sol.

– Comment voulez-vous qu'on fasse ? J'ai du travail pour quatre...

L'avocat partageait le mécontentement du juge, il confirma :

– C'est terrible.

Il approuva de la tête. Lui aussi il était débordé. Ils n'en pouvaient plus, tous les deux, de cette vie d'enfer, la Justice les épuisait.

Ali avait les yeux fixés sur son dossier maintenant posé au sommet d'une pile. Il savait que son affaire c'était ce dossier, plus rien d'autre, il fallait repartir à zéro, tout relire, tout revivre, dans l'ordre des procès-verbaux, tout reprendre, mais il n'avait plus la force d'un geste, ni même d'un mot.

– Gardes, emmenez M. Caillou.

Le juge était déjà plongé dans un autre dossier. Il ne vit pas la main que lui tendit l'avocat, l'avocat s'inclina, bredouilla son respect, et suivit son client.

Dans le couloir, l'avocat ouvrit largement sa robe, comme pour respirer. Il retrouva sa vitalité :

– C'est fini... l'instruction est finie... le juge a été correct... maintenant il faut travailler à l'audience... je viendrai te voir.

Il avait mis gentiment sa main sur l'épaule d'Ali.

– Tu as l'air fatigué, mon vieux, il faut tenir... il faut être en forme à l'audience... n'est-ce pas, messieurs ?

Il parlait aux gardiens, pour les mettre dans le coup, pour les retenir, car ils semblaient pressés. Ils ne bronchèrent pas.

– Comment j'ai été ? demanda Ali.

L'avocat hésita.

– Pas mal, pas mal du tout. Un peu rapide. Il aurait fallu t'expliquer davantage... ne t'inquiète pas. Nous aurons le temps de préparer l'audience...

Il haussait peu à peu la voix, comme si l'audience se rapprochait.

– Le témoin a été nul... nul... il n'a rien trouvé à dire de nouveau... deux témoins absents, un témoin nul... ça ne pouvait se passer mieux.

Mais il se reprit aussitôt :

– Ne rêvons pas, l'affaire reste difficile, très difficile.

Il tapa sur l'épaule d'Ali, qui fit un sourire. Le garde qui tenait les menottes tira doucement Ali vers lui, pour l'obliger au départ. « Courage », clama l'avocat, tandis qu'ils s'éloignaient, et, s'adressant aux gardes :

– Prenez bien soin de lui, il en vaut la peine.

X

Jour et nuit, Ali travaillait. L'avocat lui avait remis la copie du dossier. « Ecris tout ce qui te passe par la tête, et surtout attache-toi aux détails. » Sur chaque procès-verbal Ali rédigeait une note, il classait ses observations en quatre colonnes, les arguments favorables, les arguments contraires, les points neutres, des réflexions annexes. A peu près tous les jours, il adressait à l'avocat une lettre qui commentait la note envoyée. L'avocat ne répondit que deux ou trois fois, il n'abordait pas le fond de l'affaire, il félicitait Ali de son travail, il l'encourageait à continuer. Maintenant tout contrariait Ali, la radio de Monsieur Fiore braillait tout le jour, les conversations n'en finissaient pas sur la prison, sur la vie, Ali devait y entrer, on attendait de lui qu'il interroge ou qu'il approuve, la nuit il avait beaucoup de peine à continuer d'écrire, caché sous la couverture, les ronflements ne cessaient jamais, ils le rendaient fou. Parfois Monsieur Fiore se moquait d'Ali : « Tu perds ton temps dans tes papiers. Ton avocat est payé pour ça... pas toi. Fais comme moi, ajoutait-il, mon affaire, je m'en fous, je l'ai filée à l'avocat... c'est plus la mienne... » « Ton boulot ne sert à rien..., renchérissait Georges Tulle, tout est décidé d'avance... » Monsieur Fiore était désolé de ce gâchis d'activité. « Ce con va y passer mille heures, son procès durera vingt minutes... » Ali pressentait qu'ils n'avaient pas tort, il soupçonnait qu'une large partie de son labeur serait inutile, mais il ne pouvait deviner laquelle, il était donc forcé de continuer, à cause de cette part précieuse que recelait son travail, l'avocat pouvait la découvrir, pas lui. De toute manière Ali ne savait traiter autrement un problème, le travail était son unique ressource, sa compagnie, il n'avait pas le choix, maintenant les jours ne lui suffisaient plus, il lui fallait les nuits, il lui fallait être assis à une table, être seul.

Ali écrivit au directeur de la prison pour solliciter, en termes aussi respectueux qu'il pût, l'honneur d'être placé seul en cellule. Il expliquait que son avocat exigeait de lui un commentaire écrit sur chaque page du dossier, ce qui obligeait au silence et à la concentration. Il ne reçut pas de réponse. Il avait mis ses compagnons au courant, s'excusant auprès d'eux.

— Ta lettre, assura Georges Tulle, le directeur s'est torché avec.

Monsieur Fiore, en vieil habitué, lui conseilla d'invoquer son état de santé :

— La maladie, crois-moi, y a qu' ça qui marche... ils n'ont la trouille que des cadavres.

Ali demanda à voir le médecin. Il fut conduit à une jeune femme à lunettes, plutôt jolie, toutes les minutes elle se passait la main dans les cheveux, d'un geste tendre, puis elle secouait brutalement la tête. Elle interrogea longuement Ali sur sa famille, la séparation des parents, le temps passé en Algérie, il tâcha d'en dire le moins possible, elle parut très intéressée, elle répétait : « Je comprends... je comprends. » Elle lui posa plusieurs questions sur son procès, ses études, pourquoi il avait choisi de faire son droit, « par hasard », répondit-il, pourquoi il avait participé à la manif, « par curiosité ». La main dans les cheveux, elle observa qu'il n'y avait pas de hasard, pas de curiosité, que tout venait de quelque part, spécialement dans le cas d'Ali. Elle discourait pour elle plus que pour lui, il savait qu'elle tournait autour du pot, que l'important c'étaient les deux couleurs d'Ali, ses deux cultures, ses cheveux en mousse et son nom breton, ce douloureux mélange, elle n'osait vraiment en parler. Elle lui dit que sa mère était son problème, qu'il l'aimait trop, qu'il l'aimait mal, que bientôt ça s'arrangerait son affaire, sa vie, s'il devenait un adulte, elle lui donna des conseils, avec des mots de savant, et des mots d'enfant. Ali laissa passer ce discours, puis il expliqua sur un ton presque suppliant qu'il voulait être seul, pour préparer son procès, mais aussi pour préparer son droit, cela faisait deux mois qu'il n'allait plus en fac, il ne voulait à aucun prix rater son examen. C'était un peu vrai, il avait obtenu des polycopiés, il avait voulu les lire, mais son affaire revenait toujours, elle recouvrait tout, les polycopiés lui tombaient des mains, sa tête les refusait.

— Vous êtes seul, lui dit la jeune femme, vous êtes bien trop seul, et vous demandez toujours plus de solitude.

Elle avait dit quelque chose d'important, elle le ponctua d'un long silence. Ali plaida passionnément sa cause. Non, il n'aimait pas vraiment la solitude, c'est elle qui semblait l'aimer, ses compagnons de cellule étaient plutôt sympathiques, gentils avec lui, il ne demanderait qu'à rester avec eux s'il n'y avait son travail, leur radio, leurs ronflements, leur éternel bavardage. Ali ne pouvait s'offrir le luxe d'échouer à l'examen, sa mère ne paierait pas plus longtemps ses études, être seul en cellule c'était sa dernière chance. Le médecin n'écoutait plus. Elle avait commencé de rédiger une ordonnance :

— Vous prendrez un valium tous les soirs.

Elle prescrivit aussi des vitamines. Enfin elle promit à Ali d'intervenir pour qu'il obtînt satisfaction. Il l'assura de sa reconnaissance :

— J'ai tort de vous faire plaisir, lui dit-elle, la solitude n'est pas bonne pour vous... j'ai tort... travaillez bien... faites-moi demander si ça ne va pas...

Elle semblait vaguement inquiète, l'inquiétude était son métier et presque son visage. Ali voulut la rassurer :

— Je suis innocent... je serai sorti dans deux mois.

– Bonne chance, répondit-elle, d'une voix triste où la chance ne passait pas.

Elle plongea la main dans son sac, sortit une glace, un peigne, et sans plus rien dire elle commença à se coiffer.

Le surlendemain, vers midi, un surveillant vint chercher Ali :

– Fais ton paquetage, tu changes de cellule.

Tandis qu'Ali s'affairait, Monsieur Fiore lui prodiguait ses derniers conseils :

– N'en fais pas trop... plus tu écris à ton avocat... moins il lit tes lettres... les juges ils s'en foutent de la peine... un an, cinq ans, pour eux c'est tout pareil... c'est du saucisson...

Ali se demanda comment il avait supporté deux mois ce radotage. Il serra la main de Georges Tulle qui grommela :

– Monsieur l'étudiant, on s'excuse de vous avoir dérangé.

Monsieur Fiore réserva à Ali une belle bourrade d'adieu :

– Ta chance, lui dit-il, c'est que tu es sympathique.

– Au revoir et merci, répondit Ali.

Monsieur Fiore éclata de rire :

– Au revoir ? Où ça ? Au ciel ? Si tu veux qu'on achète ensemble une tombe, écris-moi... la famille Caillou-Fiore, regrets éternels...

Il riait fort, par la porte ouverte son rire s'évadait dans le couloir, son rire se tapait sur les murs, il rebondissait, on n'entendait plus que ce rire, Ali suivait le surveillant, il savait qu'il ne reverrait pas Monsieur Fiore, Monsieur Fiore n'allait jamais à la promenade, Ali voulait garder ce rire, il obligeait le surveillant à ralentir le pas, soudain ce fut fini.

La cellule était minuscule, juste la place du lit, des toilettes, d'une chaise, d'une table, tous serrés. Elle lui parut très haute, à peine éclairée par une vitre opaque.

– C'est un ancien mitard, expliqua le gardien, c'est pas gai, mais c'est tranquille.

Ali commença de défaire son paquet. Il choisit soigneusement la place de chaque chose, presque rien, ses livres, ses cahiers, ses stylos, tout ce dont il avait besoin pour son affaire, il réfléchit pour trouver l'ordre le plus profitable, il voulait en même temps que chaque objet fût à son aise. Assis à sa table, il pouvait les toucher à peu près tous de la main. Oui, sa cellule convenait à son affaire. Pour la première fois depuis son arrestation, Ali se sentit heureux. Il fêtait sa première victoire.

XI

Ils passaient ensemble l'après-midi du jeudi.
C'était le jour de congé de Stéphanie. Ali travaillait à la fac le matin, puis il rentrait à pied, il
montait à sa chambre vers midi, il préparait le
repas, toujours le même, des œufs durs mayon-
naise qu'il aimait, des tranches minces de foie de
veau qu'elle aimait, du riz ou des pâtes, il n'y
avait que le dessert qu'il improvisait. Elle raffolait
des gâteaux, il en cherchait dans toutes les pâtis-
series du quartier, des nouveaux, des gros, avec
beaucoup de crème, il lui en faisait la surprise.
Ali habitait au sixième, l'étage était désert quand
il entendait le pas de Stéphanie, elle sonnait toujours vers une heure, ils déjeunaient longuement,
le repas était un temps agréable, ils en connaissaient chaque geste, presque chaque mot, ils les
goûtaient avec précaution.

D'ordinaire ils faisaient l'amour vers trois heures. Ils commençaient par flirter, les mains, les
lèvres, elle s'asseyait par terre, lui sur la chaise, il
la tenait entre ses genoux, elle caressait un peu

ses jambes, il jouait avec ses cheveux, ils respiraient plus vite, ils ne disaient rien, c'était lui qui décidait le moment, il le retardait, les mots lui étaient malaisés, pourtant il se servait toujours des mêmes, mais il avait du mal à les prononcer : « Viens, déshabille-toi », ou plus discrètement : « Si nous dormions un peu... » ; quand il tardait trop, et qu'elle devenait impatiente, elle se levait, elle le prenait par la main, elle le poussait doucement sur le lit, elle disait : « Si nous nous embrassions... » Il se laissait faire.

Elle aimait bien faire l'amour avec lui. Elle gémissait très vite, vite très fort, elle renversait la tête pour mieux gémir, il était gêné, il écoutait le couloir, parfois il amenait l'oreiller contre leurs têtes, pour tâcher d'atténuer le bruit, il ne voulait pas qu'elle criât, elle le savait, elle s'appliquait, souvent les cris montaient quand même, elle ne pouvait les retenir, elle ne le voulait plus, elle devenait folle, il la secouait, « ne crie pas, ne crie pas », il écrasait l'oreiller sur sa bouche, elle tournait la tête pour respirer, il n'entendait plus qu'un râle, il la dégageait, elle semblait heureuse, elle répétait : « Pardonne-moi, pardonne-moi », bien sûr il pardonnait.

Son plaisir à lui, elle avait appris à ne pas s'en mêler. Ali aimait le maîtriser, le laisser monter, puis l'obliger à reculer, un peu plus, un peu moins, il le conduisait jusqu'à l'extrême bord, il souffrait de le refouler, parfois le plaisir se précipitait, alors Ali repoussait Stéphanie, un moment il la tenait à l'écart, puis il la retrouvait, il se vouait à elle, il cédait à tous ses caprices pour s'excuser, à nouveau elle devenait folle. Souvent il s'échappait, il pensait à sa mère, ou à ses cours, il travaillait, il préparait sa journée du lendemain, elle s'en apercevait, elle répétait : « Tu es merveilleux », elle gémissait davantage, il lui faisait l'amour de très loin, avec une douce application. Quand il revenait, il disait quelques mots, toujours les mêmes, pour la rassurer, pour se rassurer : « Tu es belle... je suis bien avec toi. » A la fin il laissait aller son plaisir, par gentillesse, souvent aussi, après avoir regardé sa montre d'un mouvement invisible du bras, parce qu'il se faisait tard.

Ce qu'il redoutait chez Stéphanie c'était ses mots, et l'intonation de ses mots quand elle commençait à s'échauffer, des expressions toutes faites, qu'il avait déjà entendues, ramassées dans de mauvais livres ou venues de la mémoire des femmes, un texte maladroit et sans pudeur, exaltant la force, la taille, la beauté d'Ali, or il se savait laid, plutôt chétif, un amant modeste, c'est ailleurs qu'il avait ses prétentions. Il n'aimait pas non plus le regard fiévreux qui venait à Stéphanie quand il laissait aller son plaisir, cette manière qu'elle avait de le serrer solennellement, les deux mains appuyées sur ses reins, il n'aimait pas son commentaire, toujours le même : « Mon chéri, viens, viens mon chéri. » Il n'était pas son chéri, il lui semblait qu'elle le hélait comme un chien, il était humilié. Ali avait expliqué à Stéphanie, sans la froisser, qu'il vaudrait mieux se taire, elle essayait, elle ne pouvait, elle mettait son texte en marche sitôt qu'elle faisait l'amour, comme on parle la langue d'un pays dès qu'on s'y trouve. Alors, quand elle l'agaçait trop, il s'évadait, il lui abandonnait ses caresses, ses élans, il redoublait de zèle pour excuser son départ, il empoignait une autre femme, aux cuisses plus longues, aux seins plus durs, une femme sauvage, mystérieuse, dont les cheveux flottaient en crinière, une femme qui ne disait pas un mot, ne poussait pas un cri, qui faisait l'amour comme la guerre, les dents serrées, sauvage, terriblement sérieuse, et puis qui se cabrait, et s'échappait avant qu'il n'eût joui.

Stéphanie se promenait nue dans la chambre. Ali l'aurait aimée dans des voiles. Lui ne se montrait jamais nu. Il se déshabillait dans le lit, il se rhabillait de même, il tâchait de dissimuler ses contorsions, passé l'amour il se trouvait grotesque. Les femmes, dans ses rêves, ne se mouvaient jamais que presque nues, elles étaient toujours plusieurs, les corps se mêlaient et se cachaient mutuellement, il n'apercevait nul défaut des fesses ni des seins, nulle tache pileuse, nulle impudeur, leurs beautés rivalisaient d'intelligence. Stéphanie avait des disgrâces qui le gênaient, des gestes maladroits qui l'irritaient. Cependant il était habitué. Chaque moment lui était familier, il aimait ce plaisir tranquille, sans peur, sans complication, il était libre de s'évader, elle ne lui en voulait pas, elle était toujours contente, elle ne demandait rien, lui non plus. Après l'amour, ils étaient paisibles, posés à côté l'un de l'autre, plus rien ne les menaçait. Ils s'endormaient en se prenant la main.

Il ne tenait pas vraiment à elle, ni elle à lui. Dès qu'il partait en Algérie, il oubliait Stéphanie. Elle ne s'apercevait pas, ou guère, de son absence. Ils en avaient parlé : sitôt qu'ils se quittaient c'était fini. Ils se voyaient chaque semaine hors les vacances, c'était plus qu'un rite, c'était un moment de vraie vie, la veille ils y pensaient, ce demain leur faisait joie, mais ils se séparaient sans un signe, jamais ils n'avaient pensé à s'écrire, ils ne savaient à peu près rien l'un de l'autre, ils ne posaient pas de question, ce n'était pas par discrétion, cela ne les intéressait pas, ils s'aimaient le temps de leur rencontre, rien de plus, ils savaient que leur affaire cesserait un jour, comme elle cessait l'été, qu'un jeudi serait le dernier, que Stéphanie ne viendrait pas, ou qu'elle sonnerait en vain, ce ne serait pas grave, à peine plus qu'un dérangement.

Derrière la porte, Ali reconnut le pas de Luc. Ils somnolaient vaguement, tous les deux, sur le lit. Ali se leva, enfilant sa chemise :

– Attends, attends, je viens.

Elle se dressa :

– Que se passe-t-il ?

Ali commanda :

– Rhabille-toi vite, c'est Luc, vite ! Il veut m'emmener à une manif.

– N'y va pas, dit Stéphanie, ça peut tourner mal.

Ali pensait comme elle, mais il avait promis à

Luc d'y aller, il avait eu tort, il ne pouvait plus reculer, cela le flattait d'une certaine manière que Luc eût bien voulu de lui.

Luc prit un café avec eux. Il essaya de persuader Stéphanie de venir :

– Tu verras, on ne comprend rien à la société si on ne voit pas ça ! Mille étudiants qui marchent pour la paix. Partout des flics. Partout le parti de la guerre...

Il déclamait. Stéphanie s'excusa, elle avait des courses à faire, Luc ne fut pas fâché, il l'avait invitée, sûr qu'elle ne viendrait pas. Il n'aimait pas emmener des filles dans les manifs, elles lui donnaient trop de souci.

Stéphanie les embrassa et s'en alla. Ils restèrent encore un peu, buvant de la bière. Luc n'arrêtait pas de parler, il faisait le procès du gouvernement, Ali feignait d'écouter, il calculait le temps exact dont il aurait besoin, ce soir, pour relire tous ses cours.

Il était juste quatre heures quand Luc décida :

– On y va. A pied il nous faut vingt minutes, on y sera au bon moment. Mets ton gros blouson, ordonna-t-il, on ne sait jamais, ça pourrait cogner.

Observant l'air inquiet d'Ali, il ajouta :

– Je plaisante.

Ali sortit son portefeuille de la poche de son pantalon, dans son portefeuille il y avait ses papiers, sa bourse qu'il avait touchée la veille, une photo de ses parents ensemble sur la plage quand il avait sept ans, ils se tenaient par l'épaule, deux lettres de sa mère, Ali enveloppa le portefeuille dans un journal, il plaça le tout sous le matelas de son lit, très au milieu. Luc s'amusait de toutes ces précautions :

– Ne t'en fais pas... tu le retrouveras, ton trésor.

Ils partirent en courant.

XII

Ils entrèrent à la suite tous les cinq, Ali le dernier, chacun entre deux gardes. Ils enjambaient les bancs, cela faisait beaucoup de monde et de bruit dans le box, Ali s'assit au second rang, juste derrière un énorme garde, aussi caché que possible. Il découvrait la salle d'audience, il l'aurait crue beaucoup plus vaste, les trois juges étaient déjà en place, figés, ils regardaient les prévenus s'installer, des gens il y en avait partout, debout, assis, jusqu'aux pieds des juges sur les marches de l'estrade, certains prenaient déjà des notes, les avocats circulaient en tous sens, ils s'interpellaient, ils échangeaient des papiers, ils conversaient à voix haute. Ali était effrayé de tout ce monde, il ne voulait pas qu'on le vît. Il cherchait Luc, il ne le trouvait pas, depuis un mois Luc ne lui avait pas écrit, son silence s'expliquait, pas son absence, Luc ne pouvait avoir eu peur de venir, jamais il n'avait manqué de courage, ni d'amitié, non, son absence ne se comprenait pas, Ali fouillait la salle en cachant son regard, il fallait que

Luc fût malade, ou qu'il eût quitté la France, ou qu'il sût quelque chose qu'Ali ignorait, s'il n'était pas venu c'est qu'il avait de bonnes raisons, Ali avait décidé de faire un signe à Luc, de lui dire, avec les yeux, avec les mains, qu'ils dîneraient ensemble, après l'audience, il devrait donc dîner seul. Ali découvrait des journalistes, carnets et crayons en main, une catastrophe, il cherchait son avocat, son avocat tardait, plusieurs autres s'étaient accoudés au box, ils donnaient à leurs clients les derniers conseils, ils avaient l'air très affairés, très assurés. Les juges attendaient avec une infinie patience que chacun fût à sa place, ils étaient tous trois en robe noire, deux femmes entourant le vieux président, deux femmes jeunes, l'une blonde et grosse, qui n'arrêtait pas de remuer des dossiers, l'autre pincée et myope, sans lèvres, les cheveux pris dans la laque, elle ne bougeait pas, le président semblait très grand, très élégant, il portait haut la tête, et plusieurs décorations sur la robe, ses cheveux blancs ondulaient au moindre mouvement, jamais Ali n'avait imaginé tant de douceur et de majesté. La salle se remplissait toujours, beaucoup de gardes et d'avocats, soudain Ali aperçut le sien, il parlait à un juge assis tout seul sur le côté gauche de l'estrade, pas un juge, le procureur, Ali fut satisfait que son avocat s'entretînt avec le procureur, cela le rassurait, son problème immédiat était de ne pas être vu des journalistes. Le président commença à parler. Sa voix calme, plutôt douce, imposait le silence. Il appela les prévenus un par un, les femmes juges les dévisageaient, la grosse juge blonde prenait des notes, pendant que tour à tour ils déclinaient leur identité, le procureur remuait ses papiers, l'avocat d'Ali était venu au premier rang, une cohorte d'avocats se tenait debout, tout près des juges, les mains dans les poches ou les bras croisés, ils se bousculaient un peu, comme pour prendre la meilleure place, ils se disaient des choses importantes, avec des hochements de tête et des sourires entendus, le président s'interrompit pour les faire taire, ils se turent, ils rivalisèrent de confusion, le président reprit :

– Vous êtes Caillou Ali ?

– Oui, monsieur le président, Caillou Ali-François.

– Caillou Ali-François. Vous êtes né à Rennes, vous avez dix-huit ans ?

– Oui, monsieur le président.

– Vous contestez les faits qui vous sont reprochés. Vous êtes le seul qui niez. Je vous interrogerai donc le dernier.

L'avocat d'Ali fit un pas en avant.

– Merci, monsieur le président.

Les trois juges le regardèrent, étonnés.

Le président résuma les charges qui pesaient sur chacun. Quand il vint à Ali, il exposa brièvement les témoignages recueillis, et les dénégations d'Ali. Il signala au passage les hésitations de la victime. L'avocat se tourna vers Ali, il lui fit un clin d'œil qui semblait dire : « Vous voyez ! C'est un bon président. Je vous avais prévenu. »

L'interrogatoire des quatre autres fut vite

mené. Ils reconnaissaient les faits, et même la brutalité des coups portés. Les bouteilles, ils les avaient emportées par précaution, pour se défendre s'ils étaient attaqués. On les avait matraqués, ils avaient répondu. Ils assumaient leurs actes, ils savaient qu'ils seraient lourdement sanctionnés. Ils y étaient prêts. Le premier interrogé conclut par ces mots : « Je me suis battu pour la paix... toute ma vie je continuerai... la justice n'arrêtera pas la paix. » Les autres prévenus parurent apprécier cette formule, ils la répétèrent l'un après l'autre, en changeant un ou deux mots. « C'est une étrange manière de servir la paix », objecta courtoisement le président. Un avocat qui s'agitait au premier rang s'avança soudain, il ouvrit les bras, il cria presque : « Les serviteurs de la paix sont en droit de se défendre. » Il y eut quelques applaudissements dans la salle, la juge pincée parut mécontente, le président dit calmement : « Je ne tolérerai aucune manifestation... toutes les passions s'arrêtent à la porte de cette salle. Je n'y laisserai entrer que la Justice. Qu'on s'en souvienne ! » Le procureur approuva de la tête, les dames juges aussi, les avocats prirent la mine déférente, ils échangèrent à voix basse quelques mots, les journalistes écrivaient fiévreusement, l'audience commençait bien.

Ali était déjà plus tranquille quand le président lui adressa la parole :

— J'en viens à vous, monsieur Caillou... Levez-vous... dès votre garde à vue, vous avez contesté les faits, c'est bien exact ?

– Oui, monsieur le président.

Dans le box, Caillou s'était un peu rapproché pour mieux répondre. Il se sentait parfaitement prêt, il n'y avait pas un détail qu'il n'eût étudié, pas une contradiction qu'il ne pût expliquer, il possédait parfaitement son affaire. Mais il lui semblait maintenant que son procès serait plus simple qu'il ne l'avait cru. Le président connaissait si bien le dossier, il était si scrupuleux que la Justice n'aurait pas besoin de cet énorme effort.

– Je dois dire, expliqua le président, tout ce qui est à votre charge. Puis je dirai ce qui vient à décharge.

Sans un mot de commentaire, très paisiblement, le président donna lecture des deux dépositions de la victime.

– Le brigadier Dubosc, observa le président, est empêché de venir. Il n'est pas non plus venu à l'instruction. Le tribunal le regrette.

Le procureur se leva pour justifier l'absence du brigadier Dubosc. Cet officier de police, d'un grand mérite, était retenu par ses fonctions, de toute manière il n'aurait pu que se répéter. Un avocat se leva, il dit qu'il venait pour le brigadier, il se constituait partie civile, il brandit ses conclusions, un autre se leva aussi, il intervenait pour la sécurité sociale, ils parlaient tous ensemble, le procureur, les avocats, le président les interrompit :

– Messieurs, vous vous expliquerez tout à l'heure. Je répète que le tribunal regrette vivement l'absence du brigadier Dubosc... J'entends interroger les prévenus dans le silence...

115

L'avocat d'Ali se tourna vers le box, il paraissait épanoui.

Alors le président lut les dépositions des témoins. Il n'y mettait aucune intonation, il lut plus de dix feuilles, l'ennui commençait à monter, la voix du président à faiblir. On écoutait à peine, on chuchotait de tous côtés. Quand le président eut achevé, il s'adressa à Ali :

– Nous entendrons tout à l'heure les deux témoins...

A nouveau l'avocat s'avança :

– Je ferai remarquer au tribunal que l'un des deux témoins ne s'est pas dérangé à l'instruction... je fais toutes réserves...

– Il s'est dérangé pour venir ici, observa sèchement le président.

Il enchaîna :

– Maintenant, monsieur Caillou, je dois résumer ce qui vient à votre décharge... d'abord les hésitations de la victime... ensuite le fait que vous n'êtes lié à aucun mouvement... vous ne militez nulle part... on n'explique guère votre présence dans cette manifestation. Monsieur Caillou, que faisiez-vous là ?

– Monsieur le président, je suis venu par curiosité.

– C'est une explication.

– Elle est fausse..., murmura le procureur sans lever les yeux de ses papiers.

Le président feignit de ne pas entendre. La dame juge grosse et blonde se pencha vers le président. Ils échangèrent quelques mots, ce qui déplut à la dame juge pincée. Pour l'apaiser, le président lui parla à son tour. Puis il revint à Ali :

— Monsieur Caillou, votre père était inspecteur des impôts à Rennes. Il est mort vous aviez douze ans. Douze ans ? C'est bien cela ? Puis vous êtes allé vivre en Algérie. Vous êtes revenu en France, quand vous aviez seize ans, pour continuer vos études. Quant à votre mère, elle vit toujours en Algérie ?

Ali fut surpris qu'à cet instant le président lui parlât de sa mère, et de l'Algérie.

— Oui, monsieur le président, elle vit à Alger. Elle est fonctionnaire. Elle a trois enfants... elle m'envoie tous les mois un mandat...

— Je sais, rétorqua le président.

Il se pencha à nouveau vers l'une, puis vers l'autre des dames juges. Ali se demandait ce qu'ils pouvaient tirer contre lui, ou pour lui, de ce résumé de sa vie, il s'inquiéta. Son avocat aurait dû intervenir, mais l'avocat semblait dormir.

— Je suis français, lança Ali. Il regretta aussitôt ce qu'il avait dit.

— Personne n'en doute, assura le président ; sa voix s'était durcie.

Ce fut tout. Le procureur n'avait aucune question à poser, l'avocat non plus. Le président questionna Ali sans lever les yeux :

— Avez-vous quelque chose à ajouter ?

— Non, monsieur le président.

Tout ce qui restait à dire était minuscule, Ali paraîtrait ergoter, il y avait bien quelques détails

117

qui méritaient d'être cités, mais c'était à l'avocat d'intervenir, Ali ne pouvait le faire sans risquer d'importuner le tribunal. Se taisant, il laissait deviner sa reconnaissance.

– Monsieur Caillou – la voix du président était presque émue – il est encore temps de parler au tribunal... le tribunal attend de vous la vérité... oui ou non avez-vous frappé le brigadier Dubosc ?

Ali fut décontenancé. Cette dernière question il l'attendait plus tard, tout à la fin du procès. Il avait préparé une déclaration d'innocence, elle ne s'adaptait pas du tout à cette question précise, et pressée. Muet, il cherchait la meilleure réponse, elle ne venait pas.

– Vous ne souhaitez pas répondre ?

Le ton du président avait changé.

– Je n'ai frappé personne, monsieur le président, je jure que je n'ai frappé personne...

– Je ne vous parle que du brigadier Dubosc. Vous ne l'avez pas frappé ?

– Non, monsieur le président.

Il dit cela d'une voix faible, presque hésitante. Il ajouta vite :

– Je vous jure...

Le président l'interrompit :

– Je vous remercie, monsieur Caillou... c'est bien... le tribunal appréciera.

Le premier témoin se présenta, celui qui était venu à l'instruction. Il s'avança dans le silence, il était toujours aussi calme, aussi clair, son uniforme imposait le respect, il jura de dire la vérité, il

118

la dit sur un ton très doux, presque confidentiel. Puis, à la demande du président, il regarda Ali longuement, ardemment, comme s'il ne l'avait jamais rencontré, et il le reconnut pour la quatrième fois. Le procureur se leva, s'écria :

— La preuve est faite.

L'avocat d'Ali se dressa, le président les rassit d'un mot :

— C'est le tribunal qui apprécie les preuves.

Puis vint le second brigadier. L'avocat s'était levé, il mourait d'envie d'intervenir, cela se voyait, il remuait les bras, la tête, ses papiers. A nouveau le président demanda au témoin de bien regarder Ali :

— Rassemblez vos souvenirs... ne vous croyez pas tenu par vos précédentes déclarations... dites-nous si oui ou non vous avez vu le prévenu frapper le brigadier Dubosc...

Le témoin resta un long moment sans mot dire. La salle se taisait, les journalistes avaient cessé d'écrire, Ali ne bougeait plus, il lui semblait que le moindre mouvement lui serait contraire, le témoin réfléchissait, il regardait Ali de bas en haut, de haut en bas. L'avocat s'était approché du tribunal, le tribunal aussi était immobilisé, le silence était trop lourd, ça devenait insupportable, il fallait que le président intervînt :

— Vous le reconnaissez, oui ou non ?

— Monsieur le président, répondit le témoin — il hachait ses mots —, je crois reconnaître son visage... je crois...

L'avocat fulmina :

119

– Il CROIT reconnaître, il CROIT reconnaître, voilà un témoin qui ne se dérange pas à l'instruction. A la police bien sûr il reconnaît mon client. Devant le tribunal il hésite... il CROIT le reconnaître, et moi je dis...

Dès les premiers mots, le témoin s'était tourné vers le tribunal, comme pour solliciter sa protection. Soudain il interrompit l'avocat, d'une voix brutale, si brutale qu'elle surprit tout le monde, qu'elle fit taire l'avocat.

– Monsieur le président, l'avocat du prévenu va trop vite, et trop loin...

Il continua, un ton plus bas :

– J'ai dit que je croyais reconnaître le visage du prévenu. C'est vrai. Le visage de Monsieur Caillou – il dit « Monsieur Caillou » avec insistance – ressemble hélas à beaucoup d'autres visages... je crois le reconnaître. Mais ce que j'ai certainement reconnu, ce que je continue de reconnaître, ce sont ses mains, c'est la bague qu'il avait à son doigt pendant qu'il portait ses coups, c'est...

– Vous reconnaissez aujourd'hui, hurla l'avocat, une bague que mon client ne porte plus !

– Monsieur Caillou, vous portiez bien une bague ? interrogea le président.

– Oui, monsieur le président.

Le témoin poursuivit :

– Cette bague, monsieur le président, je l'ai vue sur la main qui frappait, c'était la main gauche, je l'ai vue sur le doigt qui pressait la bouteille... je l'ai vu frapper comme ça... comme ça...

Maintenant le témoin mimait les gestes, il mimait les coups, de gauche à droite, de droite à gauche, les coups devenaient de plus en plus violents, les yeux du témoin semblaient furieux, on aurait dit qu'il frappait vraiment. Ali le regardait, épouvanté.

– Monsieur le président, je reconnais tout, son allure, ses cheveux, je suis formel, je les reconnais... c'est lui.

Le président interrompit :

– C'est bon, c'est bon, nous avons compris. Le tribunal vous remercie.

Le témoin resta un moment face au tribunal, au garde-à-vous, on aurait dit qu'il voulait encore parler, qu'on le laissait sur sa faim, le président dut lui faire un signe, il salua, il se retira.

Ali s'était assis, les coudes sur les genoux, la tête dans les mains. Il n'avait su ni prévoir ni empêcher ce désastre, son avocat avait été fou de braquer le témoin au moment où il hésitait. Ali n'en pouvait plus. Pendant quatre mois il avait préparé son affaire, les mille heures dont avait parlé Monsieur Fiore et plus il les avait passées sur le dossier, elles avaient été gâchées en dix minutes, personne, jamais, ne s'était donné tant de mal, tant de mal pour rien. Ali ne voyait plus que des décombres, le malheur emportait tout, il n'en pouvait plus de lutter. Il n'écoutait pas les parties civiles, il n'écoutait pas le procureur, ou très peu. Le procureur assurait que l'affaire était simple, la preuve faite, trois fois faite. Ali mentait. Pourquoi mentait-il ? Parce qu'il était menteur. Le procureur connaissait la jurisprudence du tribunal. Celui-ci entrerait en condamnation. Il condamnerait tous les prévenus à quatre ans de prison ferme, et en outre un an avec sursis. Parce qu'on ne peut impunément agresser les forces de l'ordre. Parce qu'on ne se conduit pas comme des bêtes sauvages, quand on dit être les anges de la paix. Parce que la France est un pays civilisé. Parce qu'il est hélas nécessaire de faire des exemples. Pour Ali Caillou qui mentait, le ministère public devrait logiquement requérir davantage. Il ne le ferait pas. Egard à son enfance douloureuse, au divorce de ses parents, à la mort de son père, à sa vie déchirée entre la France et l'Algérie. Oui, le ministère public était indulgent, presque faible. Ali Caillou était influençable, sans vraie personnalité, il suffisait de le regarder. Quatre ans de prison ferme, c'était un minimum, sinon il n'y avait plus d'Etat, plus de Justice, plus rien. Ils avaient l'air d'enfants ? Ils se disaient étudiants ? Il fallait les voir, ces adolescents, si timides dans le box, quand ils cognaient telles des brutes, quand ils déchiquetaient les visages, Ali surtout. Maintenant le procureur allait montrer les photos des victimes, que le président, par une délicatesse à laquelle il rendait hommage, n'avait pas exhibées. Mais on devait tout voir, tout savoir. Le procureur était venu derrière le tribunal. Il passait les photos au président, aux dames juges qui se les passaient à leur tour. Les avocats s'étaient rapprochés pour n'être pas exclus du spectacle. Les photos circulaient de main en main, on ne distinguait pas les victimes. Les exclamations d'horreur étaient étouffées, la réserve y obligeait, du sang partout, des visages tuméfiés, des crânes ouverts, des yeux blessés, des cicatrices, les dames juges semblaient révulsées, elles s'arrachaient les photos que le président repoussait, lui il ne les regardait qu'entre les mains des autres, comme si sa fonction le tenait à distance, les avocats étaient passionnés, et honteux, il s'agissait de leurs clients et ça n'améliorait pas leur affaire, puis le procureur rassembla le tout, il garda les photos dans la main, il les brandit vers le box, achevant son réquisitoire :

– Voici votre message de paix. Vous n'avez même pas l'excuse de l'ignorance ! Déguisés en idéalistes, déguisés en étudiants, vous n'êtes que de petits truands. Je vous remets à la Justice.

Et il se rassit, regardant de droite et de gauche pour mesurer son effet. On se taisait dans la salle. Dans le box ils étaient anéantis.

Ce fut le temps des avocats, avec trop de mots, trop de gestes, des mots et des gestes désaccordés. Le président écoutait, les yeux au ciel, comme s'il méditait déjà, la juge pincée se pinçait davantage, elle était irritée, elle regardait sa montre, l'audience durait trop, la grosse juge blonde n'arrêtait pas de prendre des notes, tout le monde s'ennuyait, ce n'était pas la faute des avocats, il faisait très chaud, l'heure du dîner approchait, les avocats n'avaient pas grand-chose à dire, ce pas grand-chose ils le disaient tous pareil, ils y mettaient un rien de passion pour réveiller la salle, mais cette passion était à la surface de leur discours, à la surface d'eux-mêmes. Chaque fois qu'ils disaient du mal de la police, et ils n'arrêtaient pas d'en dire, le procureur faisait semblant de se perdre dans ses papiers, pour signifier sa désapprobation, le front des juges se plissait un peu, les avocats parlaient de la paix, de la justice, ils semblaient n'y croire pas trop, ils semblaient plutôt du genre désabusé, tous leurs clients avaient eu des enfances douloureuses, ces jeunes avaient été abandonnés à eux-mêmes, ou trop sévèrement élevés, c'était égal, dans tous les cas ils méritaient l'indulgence, la France avait besoin de ses étudiants, la prison les contaminerait, les juges étaient de vrais juges, on pouvait leur faire confiance.

Tout le monde leur faisait confiance aux juges, le procureur, les avocats, la société, les détenus, Ali aussi, il ne lui restait que ça, il regardait le président, il aurait voulu rencontrer son regard, il guettait un signe de sympathie. Mais le président gardait les yeux au ciel, il était beau, si noble dans sa robe noire, avec ses cheveux blancs, il ressemblait à la Justice.

Le dernier fut l'avocat d'Ali. Il n'avait pas dit vingt mots qu'Ali reprit espoir. L'avocat avait commencé très bas, comme s'il faisait des confidences aux juges, il s'était avancé d'un pas vers le tribunal, il avait raconté deux erreurs judiciaires qu'il avait vécues, trois témoins dans un cas, cinq dans l'autre, tous avaient reconnu l'accusé, puis on avait découvert le vrai coupable, ses clients avaient passé l'un quatre ans en prison, juste ce

124

que demandait aujourd'hui M. le procureur, l'autre dix ans, rien de plus fragile qu'un témoignage, on croyait reconnaître, puis on reconnaissait, puis on était sûr de reconnaître, puis on reconnaissait envers et contre tout parce qu'on avait trois fois reconnu. Les flics – il disait « les flics », mais d'un ton presque fraternel –, les flics étaient comme les autres, ni meilleurs ni pires. Ils obéissaient quand on leur donnait des ordres. L'avocat ne disait pas qu'on leur avait donné l'ordre d'accuser Ali, non il ne le disait pas, il n'en était pas sûr, mais Ali avait été arrêté, on lui trouvait une sale tête, pas d'autre sale tête parmi les détenus, il fallait bien que quelqu'un eût frappé le brigadier Dubosc, pourquoi ne serait-ce pas son client, pourquoi n'aurait-on pas décidé que ce serait lui ? L'avocat minimisait tout, le pire devenait naturel, il ne critiquait pas, il ne jugeait même pas, il décrivait l'ordre des choses, il vous conduisait d'évidence en évidence. C'était possible que la police eût voulu faire d'Ali un coupable, pas par méchanceté, plutôt par paresse, parce qu'il en fallait un, et qu'Ali était là, disponible, candidat coupable. Rien de dramatique là-dedans, souvent les circonstances s'enchaînaient ainsi, c'était la vie, la paresse abîmait tout. Lui-même, l'avocat, il avait bien dû, par commodité, une fois ou deux, inventer un coupable. Ce n'était qu'une des hypothèses. L'avocat en voyait une autre, le premier témoin reconnaissait Ali, il se trompait de bonne foi, le visage d'un Algérien y incite, Ali n'était pas sympathique, Ali était incapable de dire ce qu'il faisait à la manif, peut-être protégeait-il quelqu'un par son silence, c'était son droit, c'était même son devoir, oui il était plutôt étrange Ali, alors le premier témoin l'accusait par erreur, de très bonne foi, venait le second témoin, on lui donnait lecture de la déclaration du premier, il disait de même, par solidarité, par facilité, et puis la victime, quand on lui lisait les témoignages, se mettait à reconnaître Ali, tout cela allait sans peine, c'était la logique, le rouleau de la logique, c'est comme ça que venaient les erreurs judiciaires.

Le président avait cessé de regarder le ciel, la juge blonde ne prenait plus de notes, elle dévorait l'avocat des yeux, même la dame pincée s'était mise à écouter, maintenant l'avocat annonçait qu'il allait prendre les faits, il les suivrait minute par minute, de l'arrivée d'Ali à la manif jusqu'à son arrestation. Ce n'était plus une affaire, c'était vingt affaires, presque sans lien, chacune durait quelques instants, l'avocat les isolait, il les décortiquait, il prenait, dans chaque témoignage, juste ce qui concernait le morceau qu'il traitait, dans chacun d'eux il découvrait des incohérences, il mettait au jour des contradictions, rien ne tenait plus debout de l'accusation. La fermeture Eclair du blouson d'Ali ne fonctionnait pas, si Ali avait placé la bouteille sur son cœur elle serait forcément tombée, elle ne tenait pas dans sa poche, Ali était donc venu sans bouteille. Quand on est gaucher, on commence à taper de droite à gauche, non de gauche à droite. Les témoins avaient cru voir la bague à son doigt, mais ils n'avaient pas pu la voir, ils avaient cru la voir sur une main levée, or la main de l'agresseur n'avait jamais été levée, elle avait circulé à l'horizontale, dans cette position une bague ne se voit pas, l'agresseur était plus grand qu'Ali, forcément plus grand, il était plus fort, il avait la main plus large, à la hauteur où les coups avaient été portés, environ 1 m 60, Ali n'aurait pu brandir une bouteille, bien trop petit, il n'aurait pu si violemment taper, Ali aurait frappé plus bas, à hauteur de la gorge, l'agresseur avait eu très probablement la main blessée dès le second coup, car la bouteille s'était brisée, or les mains d'Ali ne portaient aucune cicatrice. Tout semblait clair maintenant, Ali comprenait qu'il avait été absurdement poursuivi, oui il n'y avait plus rien dans son affaire qu'une succession d'extravagances, pas un détail qui pût raisonnablement accuser. L'agresseur du brigadier Dubosc, on le voyait maintenant, très grand, costaud, certainement pas gaucher, vêtu d'un épais blouson noir, un habitué des manifs qui savait comme on doit taper pour blesser, c'était un vrai professionnel, rien de commun avec Ali, soudain, quand commençait la mêlée, ce voyou se jetait au sol, l'avocat le suivait du regard, il rampait sur quelques mètres, il prenait la fuite, Ali prenait sa place, prenait son rôle.

Qui était Ali ? L'avocat maintenant expliquait son client. Il la connaissait très peu, la vie d'Ali, il en savait ce qui était dans le dossier, presque rien, il l'inventait pour les besoins, mais il racontait

presque aussi vrai que le vrai. Etrangement cela
ne faisait pas mal à Ali, pour la première fois il
entendait parler, sans honte, de ses parents, de ses
malheurs, l'avocat se trompait sur les détails, sur
les dates, son père il le présentait comme un ins-
tituteur attentif, bienveillant, mort trop tôt, après
quoi Ali était revenu à son destin de petit Algérien, d'immigré de la seconde génération, l'avocat connaissait bien le drame des beurs, le drame
d'Ali. Le tribunal aussi avait l'habitude de ce drame. Ali comprenait que l'avocat ne pouvait élu-
der cet aspect des choses, il acceptait maintenant
tout ce qui lui profitait, même qu'on parlât de sa
mère. L'avocat avait compris la détresse d'Ali dès
qu'il l'avait aperçu en prison. « Regardez-le,
monsieur le président, mesdames les juges, regardez-le comme je l'ai regardé. » Toute la salle
regardait Ali, Ali baissait les yeux. Ali ne venait
de nulle part, voilà son malheur, partout déraciné, ballotté entre la France et l'Algérie, entre les
bateaux et les mandats, par surcroît ses parents
s'étaient déchirés, ils l'avaient déchiré, le malheur d'Ali c'était l'errance, la solitude et l'errance, la solitude dans l'errance, c'était aussi la peur,
Ali avait peur de tout, peur des uniformes, peur
des ombres, peur de la vie, peur de se regarder
dans la glace, toujours au parloir il tremblait, toujours il s'excusait, il avait même peur de son avocat, il s'excusait d'exister, il s'excusait de se retrouver dans le box, il se cachait pour tenter de
vivre. « Là, dans le box, je ne le vois pas. Il est de
la couleur des murs... il se confond avec le sol...

regardez-le, vous ne le verrez pas. » On aurait entendu une mouche voler, l'avocat faisait de la salle ce qu'il voulait. Quand il levait le doigt on suivait son doigt, on devinait qu'il allait désigner quelque chose. Parfois il se taisait, il regardait ses pieds, il remuait ses pieds, comme un taureau remue la terre avant de charger, les juges, les journalistes, tous suspendaient leur souffle. Comment Ali pouvait-il échapper à la peur ? Par le travail. L'avocat expliquait maintenant que le travail était la nourriture d'Ali, son triste soleil, son compagnon de misère, il montrait Ali enfermé dans ses livres, comme dans sa cellule, toujours le premier, toujours le meilleur, le meilleur élève, le meilleur détenu, toujours aussi seul, l'avocat fouillait dans sa serviette, il sortait l'énorme paquet de lettres d'Ali. « Voyez ce que j'ai reçu de lui en trois mois. Près de mille pages. Je voudrais que vous les lisiez, que vous compreniez cette écriture régulière, appliquée, si sage ! Je voudrais que vous entendiez ces cris d'innocence. » En vérité, les lettres d'Ali ne criaient pas l'innocence, elles constituaient plutôt un dictionnaire d'arguments et de preuves, l'avocat ne les avait pas toutes lues, mais c'était mieux encore, il y découvrait ce qu'Ali aurait dû y mettre, à toutes les lignes il entendait Ali hurler : « je suis innocent », c'était une formidable marée de vérité, il fallait qu'elle montât jusqu'aux juges, l'avocat décrivait le labeur de son client dans la prison, les jours et les nuits sans sommeil, le patient travail d'un immigré, et aussi le sinistre, le bouleversant boulot de

129

sa mère, les mandats qu'elle prenait sur sa paye, sur sa vie, pour que le fils fît carrière, par amour, par orgueil de mère. L'avocat regardait les dames juges, il leur parlait spécialement, il était bouleversé par l'amour des mères, par l'amour des femmes. Etudiant, étudiant en droit, voici le début de la réussite, voici peut-être la fin de la peur. Ali peut enfin regarder devant lui, entrevoir la lumière. C'est le jour ? Non ! C'est la prison. Un hasard, une curiosité, peut-être un ami, dont Ali tairait le nom, et il aurait raison de le taire, il va à la manif, il regarde, il y reste, c'est un monde nouveau pour lui, bien sûr il a peur, il a toujours peur, il veut partir, il n'ose partir, il n'ose rien, le malheur est là qui le guette, le malheur l'a toujours guetté, une main se pose sur son épaule, suivez-moi, c'est la police, c'est la prison, c'est fini la vie d'Ali ! C'est ça le malheur !

« A moins que... » L'avocat s'approchait des juges, il tendait les mains vers eux, suppliantes. « A moins que vous n'arrêtiez le malheur... » Il se retournait pour parler à Ali, on eût dit qu'il allait pleurer : « Ali Caillou, votre vie tient à un fil... un fil fragile... » Il s'adressait de nouveau aux juges : « Un fil qui va de vous à lui. Ce fil, ne le cassez pas, je vous en prie, ne le cassez pas. » Il se tut. Il écouta son silence. Ali s'était dressé, il refoulait ses larmes, il regardait le président, le président le regardait, les dames juges aussi, la juge blonde se mordait les joues. L'avocat laissa tomber les bras, il plia la tête, il ne bougea plus, on aurait dit un condamné, lui aussi, il semblait porter le malheur du monde. Il ajouta, à voix presque éteinte, faisant traîner chaque mot dans le silence :

– Ali est innocent... vous êtes ses juges... vous êtes son destin... je vous le confie...

Et brutalement il s'assit.

– Monsieur Caillou, avez-vous quelque chose à ajouter ?

Ces mots, le président les avait dits d'une voix ferme, indifférente, comme s'il n'avait rien entendu. Il ordonnait à l'émotion d'évacuer la salle. Aussitôt chacun bougea, toussa, parla, la vie, un instant suspendue, reprenait ses droits, ça bourdonnait partout, seul l'avocat d'Ali semblait prostré, encore enfermé dans son rêve.

Cent fois Ali s'était récité son texte. Il commença :

– Je voudrais dire...

Et sa voix s'étrangla. Elle était chétive, sans âme, presque insupportable après l'avocat. Il répéta, plus mal encore :

– Je voudrais dire...

Il se voyait debout à côté de soi, juste à côté, il voyait ses bras se lever, ses bras se tendaient vers le tribunal par saccades, c'était des bras d'infirme, les mots ne venaient plus, ni les idées, ni rien, ça lui brûlait la tête, il était ridicule.

– Je voudrais dire...

Caillou ne pouvait achever. Il restait figé, muet, la bouche béante. Le président attendit un long moment, un très long moment, puis il conclut, comme à regret :

– C'est bien... je vous remercie, monsieur Caillou. Le tribunal se retire pour délibérer... nous rendrons notre jugement à la reprise d'audience. Gardes, emmenez les prévenus.

L'avocat s'était précipité vers le box. Maintenant Ali était secoué de sanglots, les gardes voulaient l'entraîner, ils n'osaient plus, l'avocat avait mis ses mains sur les épaules de son client, il l'enveloppait, il le protégeait. Entre ses sanglots, Ali répétait :

– Merci, merci... je vous remercie... j'ai tout raté, j'ai tout gâché...

L'avocat était entré dans le box, il s'était assis à côté de son client. Il lui parlait, la bouche contre l'oreille :

– Tu n'as rien raté du tout... tu n'as rien dit... tu as fait de ton mieux... ne t'inquiète pas...

Ali s'apaisait un peu. Il interrogeait l'avocat :

– Je serai acquitté ?

L'avocat ne répondit pas. L'audience avait été bonne, en gros, mais on ne pouvait pas être optimiste. L'audience c'est le devant de la scène, l'apparence. Ce qui compte c'est le vrai, ce qui se passe avant, après, et derrière. L'avocat voyait les trois juges assis dans le cabinet du président. Ils commençaient à discuter du sort d'Ali. Le procureur entrait et sortait... On a beau parler, trois témoins ça reste trois témoins. Trois policiers. Non, on ne pouvait pas être optimiste. La grosse juge blonde pencherait pour l'acquittement, la juge pincée voudrait la condamnation, elle la voulait toujours, elle ne supportait personne, ni les prévenus, ni les avocats, ni les juges, mais le président... tout dépendait de lui. Le président était impossible à deviner, trop intelligent, trop scrupuleux, cherchant toujours des raisons contre ses raisons.

Ali n'en finissait pas d'admirer, de remercier son avocat.

– C'était formidable... si formidable... jamais je n'aurais cru.

– C'est vrai, approuvait l'avocat, ça a très bien marché... ça marche rarement si bien... mais ça ne signifie rien du tout, attendons, attendons, ne nous énervons pas...

Cette fois les gardes entraînèrent Ali, très lentement, pour lui laisser le temps de quelques mots. Ali s'expliquait la prudence de son avocat. Il se souvenait de ce que lui avait dit Georges Tulle, l'avocat prévoyait toujours le pire, cela le stimulait. Maintenant les cinq prévenus se tenaient debout, menottes aux poignets, dans la petite pièce encombrée de gardes. Ali, livide, s'appuyait au mur.

– Ton avocat a été génial, lui dit un étudiant, c'était le plus jeune, on aurait dit un gosse.

Un autre ajouta :

– Toi, tu seras acquitté. Ça leur donnera bonne conscience. Nous, on prendra quatre ans.

– J'espère que non, dit Ali.

L'étudiant le regarda fixement :

– Tu t'en fous, et tu as raison...

Il ajouta, détournant la tête :

– Tu as bien fait de nier... tu t'en tireras... d'être immigré ça aide...

Ali ne répondit pas.

Ils restèrent sans mot dire, chacun avec sa détresse, attentifs au moindre bruit du dehors.

XIII

Cela dura deux heures, il faisait nuit quand on les ramena à la salle d'audience, mal éclairée, demi-vide. Quelques avocats, très peu de gens assis, des gens debout serrés dans le fond, des gardes nombreux, partout répartis, tous étaient fatigués. Les prévenus furent placés côte à côte dans le box, tous les cinq au premier rang, raides comme des militaires. On entendit taper deux coups, les juges entrèrent à la hâte, ils s'assirent sans regarder personne, ils ne voulaient pas qu'on devine. Ils semblaient lugubres.

Le président lut le jugement, jamais il ne leva les yeux. Il parlait trop bas, les avocats s'étaient rapprochés pour écouter, dans le box les prévenus tendaient l'oreille, ils ne quittaient pas les avocats du regard, ils surveillaient le moindre signe. « Déclare coupable... déclare coupable... », ça n'en finissait pas de déclarer coupable. Rien ne concernait Ali... toujours il y avait des circonstances atténuantes... deux ans de prison, deux ans de prison, deux ans de prison, deux ans de prison, les quatre condamnés avaient l'air soulagés, ils remuaient victorieusement, leurs avocats s'étaient tournés vers eux, ils avaient bien travaillé les avocats, ils multipliaient les signes de contentement, ils regardaient fièrement le public, on souriait, on étouffait quelques pleurs, le procureur paraissait contrarié, il se noyait dans ses papiers... « déclare Ali-François Caillou coupable du délit de violences exercées contre un agent de la force publique, lesdites violences ayant causé blessures et effusion de sang... » Ali entendait à peine, il respirait à peine, il ne voyait plus son avocat, la salle commençait à vaciller... il avait saisi le bras d'un garde pour se tenir, pour tenir debout, « et attendu qu'il y a des circonstances atténuantes, condamne Caillou Ali-François à la peine de dix-huit mois de prison... » L'estrade des juges remuait, elle basculait de gauche à droite, de droite à gauche, « Caillou Ali-François », c'était son tour, il fallait y aller, les applaudissements l'appelaient, Ali voulait monter, il titubait, il se rattrapait à la rampe, il ne pouvait plus avancer, le proviseur tendait les bras, tous les professeurs sur l'estrade le regardaient, le visage d'Ali était tout balafré, le sang coulait de son œil, la dame pincée épongeait le sang sur la table avec son mouchoir, elle semblait furieuse, Ali criait au secours, personne ne répondait, personne ne s'était dérangé pour lui, le président le montrait du doigt :

– Qu'est-ce qui vous arrive, monsieur Caillou ?

Les juges s'étaient dressés, l'avocat était venu tout près d'Ali :

– Monsieur le président, je m'en occupe... ne vous inquiétez pas...

Le président commandait au procureur de faire venir un médecin.

– Ce n'est pas la peine, objectait l'avocat, il va déjà mieux.

L'avocat tenait Ali par le bras. Les juges restaient préoccupés. Ils firent quelques pas pour sortir, ils se tournèrent une dernière fois vers le box, Ali était assis, inerte, la tête appuyée sur le bois. L'avocat lui tapotait les joues.

– Ça va mieux, répéta l'avocat.

– Ça va mieux, confirma le président.

Et s'adressant au procureur :

– Tenez-moi au courant.

Il ouvrit la porte, les robes se précipitèrent.

XIV

On avait conduit Ali à l'infirmerie du Palais.
L'avocat l'avait accompagné. Ali était étendu sur
un lit, le médecin avait fait une piqûre, il lui
tenait la main, les couleurs revenaient.

– C'est forcé, expliquait le médecin, vérifiant
le pouls, le miracle c'est qu'ils ne s'évanouissent
pas tous... On les amène ici dès le matin, on les
laisse sans manger tout le jour, la Justice est aussi
stupide que l'armée...

Il en avait gros sur le cœur, le médecin, il prenait l'avocat à témoin :

– ... La police, au moins, c'est une réalité... la
justice, Maître, ce n'est rien, une apparence, la
robe de la police...

Le médecin n'arrêtait pas de protester, il tapotait les joues d'Ali, il soulevait ses paupières, il le
réconfortait :

– Tu vas bien maintenant...

Et s'adressant à l'avocat :

– Les Africains sont plus fragiles qu'on ne pense...

138

Il ajouta sur un ton dramatique :

– La prison, Maître, c'est une horreur, excusez-moi de vous faire de la peine.

On avait assis le condamné, l'avocat avait posé un pied sur une chaise qu'il avait amenée juste en face de son client, sa robe était largement ouverte, il parlait à Ali presque bouche contre bouche, doucement, fermement, comme au parloir :

– Ne t'en fais pas, petit... ne t'en fais pas... c'est un bon résultat... l'acquittement, on ne pouvait y compter... trois témoins ça ne se remonte pas, ni toi ni moi nous n'y pouvions rien... ils t'ont flanqué six mois de moins qu'aux autres... cela veut dire qu'ils ont hésité, six mois de moins ça ressemble à un acquittement... c'est absurde, c'est quand même un bon résultat... il faut regarder devant toi, non derrière. Ton affaire elle est finie... dans huit mois, dans six mois, tu seras dehors. On pourrait même tenter un recours en grâce... de toute manière six mois ça ne compte pas dans une vie... tu es jeune... ne t'en fais pas...

Ali remuait la tête, il feignait d'approuver. Comme dans un rêve il murmura :

– Il faut faire appel.

L'avocat se redressa, il traversa la salle, il se retourna brusquement, il semblait horrifié :

– Faire appel ? Tu déraisonnes ! Faire appel ? Dix-huit mois c'est un résultat inespéré... à la Cour ils sont impitoyables, ils ne croient plus en rien, ni en personne, alors ils matraquent, ils te mettront trois ans. Faire appel ? Mais à la Cour,

139

mon pauvre vieux, ce sera un désastre... c'est joué d'avance...

Comme Ali se taisait, il ajouta :

– Je t'aiderai à sortir de prison, dans huit mois, dans six mois... mais à la Cour, ne compte pas sur moi... ce serait dément d'aller à la Cour...

Il devint solennel :

– Je ne pourrais me rendre complice de cette folie.

De nouveau, Ali approuvait de la tête.

– D'ailleurs la Cour ne prendra ton affaire que dans plusieurs mois, peut-être dans un an... et tu seras libre à ce moment... ça ne servirait à rien de faire appel... écoute-moi bien, mon petit... je comprends ta déception... je la partage... moi aussi j'y ai cru un moment, à l'acquittement... on s'échauffe, on s'enthousiasme, on a tort, il n'y a que le dossier, et celui-là, hélas, ne vaut rien, rien du tout mon petit, non je n'ai pas le droit de te laisser faire appel...

L'avocat parlait, Ali n'écoutait plus, il était ailleurs, dans sa nuit. Quatre mois il avait tenu, à force d'astuces, de miracles, maintenant il était vaincu. Finie la première année de droit, finie la comédie qu'il avait jouée à sa mère. « Maman, je t'écris pour t'apprendre l'affreuse nouvelle, je suis en prison. Ce n'est pas ma faute, c'est le hasard. Je suis condamné. Pardonne-moi. Pourtant je suis innocent, les témoins ont menti, je te le jure. » Cette lettre, il l'avait déjà remuée dans tous les sens, elle ne pouvait exister, elle était en dehors d'eux. Sa mère, tout ce travail qui l'avait

140

enlaidie, ses yeux qui brillaient moins, ses mains déjà semées de taches brunes, l'infinie tendresse d'une vie penchée sur lui, chaque mois ce mandat qui lui retirait le meilleur, tout donné, et en retour cette lettre : « Maman je suis en prison », « Maman je suis innocent ». Coupable ou innocent, ça ne changeait rien, rien à la honte, rien à la peine. Elle ne fait que pleurer. Elle prend les enfants dans ses bras, Ali est en prison. En prison. « Ali, tu dois comprendre, il faut que l'on se quitte. » Ils pleurent avec elle, elle ne parle plus du soleil, elle ne parle plus du travail, non cette fois il faut que l'on se quitte pour de bon, elle pleure, elle ne sait plus que pleurer sur son enfant perdu. Le beau-père a appris la nouvelle, au ministère les journaux de Paris ont circulé, il est contraint de dire la vérité, avec des mots décisifs. « Ton fils est déshonoré. Nous le sommes aussi. » Ni inspecteur des impôts, ni fonctionnaire, ni rien. « Montrez-moi votre casier. – J'étais innocent. – Tous les condamnés sont innocents... » Toutes ces feuilles écrites, ces leçons apprises, tant de problèmes posés, résolus, tant de mal pour se tenir debout, ces millions d'efforts, de petites victoires accumulés, tout anéanti. Ali n'est pas révolté, pas même malheureux. L'avocat a bien fait d'interdire l'espoir. Toujours Ali a redouté les complications. Maintenant l'évidence l'enveloppe, elle l'apaise. Partout, toujours, la nuit.

L'avocat devait s'en aller, depuis plus d'une heure un client l'attendait à son cabinet, il détestait ces audiences qui mordaient sur le soir, les juges s'en moquaient, eux ils rentraient se coucher, tandis que les avocats retournaient au travail. Ali le remercia, il le remercia mal :

– Je vous écrirai pour vous remercier.

– Ne m'écris pas, répondit l'avocat, je n'ai fait que mon devoir.

Il embrassa Ali, il partit en courant. L'avocat aussi c'était fini. Les gardes entrèrent pour prendre livraison du condamné. Ali avait l'air d'une marionnette, avec ses gestes machinaux, saccadés, ce devait être l'effet de la piqûre, le médecin lui serra la main et se remit à philosopher, tout en rangeant son matériel, on eût dit Monsieur Fiore :

– Tout est pareil... tout est pareil... mon pauvre vieux... rien ne vaut d'être triste... le bonheur, le malheur, la chance, la malchance... c'est pareil... ce ne sont que des semblants...

Tous les trois mots il reniflait, Ali tenait à peine debout, entre ses gardes, les menottes aux mains.

– Rien que des semblants, poursuivit le médecin, rien que du toc ! La seule vérité c'est la mort...

XV

Ali n'avait pas dormi de la nuit. Au petit
matin il avait tenté d'écrire à sa mère, il avait
commencé une lettre, puis une autre, il les
avait déchirées, les mots se refusaient, il voulait
tout lui expliquer, de la manif jusqu'au bout,
qu'il était innocent, que rien n'était sa faute,
qu'il s'était battu jusqu'au bout, qu'elle avait ses
enfants, son mari, et le grand soleil, que dans
quelques mois ils auraient oublié, quelques
mois ne comptaient pas dans une vie... Il s'arrêtait toujours dès la première ligne, il avait es-
sayé d'écrire couché sur son lit, puis assis sur la
cuvette des waters, puis il avait marché autour
de la table, pour apprendre la lettre par cœur,
elle ne venait pas mieux. Il lui semblait, les
heures passant, qu'il n'avait plus rien à dire,
maman et lui c'était fini, trop tard, la tempête
les avait emportés tous les deux, les vagues les
écartaient, déjà ils étaient si loin qu'ils n'enten-
daient plus leurs cris. A sept heures il déchira
tous ses papiers, il fit dix fois fonctionner la

chasse d'eau. Par précaution il cassa ses deux stylos. Il refusa le petit déjeuner.

Un surveillant vint le voir vers onze heures :
– Veux-tu aller au médecin ?

Non, il ne voulait pas. Le coup l'avait sonné, mais il allait mieux. Il se portait même bien, maintenant. Il avait très soif. Il rêvait d'une canette de bière, bien fraîche, « ça me fera une petite fête... » Le surveillant n'avait pas le droit de la lui donner, il le ferait quand même pour faire plaisir à Caillou, ce détenu était toujours aimable et discipliné, il rendrait la bouteille vers seize heures, il devait veiller à ce que personne ne la vît. Ali remercia le surveillant, avec des mots pleins de gratitude.

Il ne déjeuna pas. Il rangea sa cellule. Des objets il n'en avait guère, juste sa montre, ses deux bagues, le paquet de lettres de Luc, une petite chouette en cuivre que lui avait donnée Stéphanie, elle portait bonheur, il les mit dans un papier, il les plaça sous le lit, sauf la montre qu'il posa dessus. Les livres et les polycopiés, il en fit deux piles égales, comme pour son père, il se rappela la tombe, il les posa à la même place, en bas à droite, juste sous la dernière inscription.

Il garda la bouteille près d'une heure dans les mains. Il regardait ses mains, la bouteille, il la tournait, tâchant de deviner où elle était fragile, il essayait de se regarder dans le verre, la gueule qu'il faisait, sa tête de petit Algérien, un peu de lumière venait par la fenêtre opaque, le temps semblait arrêté, plus aucune complication, juste

144

ses mains et la bouteille, ses mains libres, la bouteille docile, il voyait très lucidement son affaire,
elle était foutue depuis le début, l'avocat n'avait
jamais nourri la moindre illusion, un seul témoin
aurait suffi. Ali avait perdu son temps, il était
coupable, l'innocence c'est un don, une grâce,
elle n'était pas faite pour lui, il s'était épuisé à
vouloir changer cela, en vain il s'était battu, tout
au long de son affaire, tout au long de sa vie,
comme un idiot, il était né vaincu, maintenant il
voyait clair, au-delà de sa nuit.

Il avait décidé de casser la bouteille à trois heures. Dix minutes, le temps lui restait, non de pen-
ser à son affaire, morte, mort-née, elle n'avait
jamais existé, mais de voir sa mère, il l'avait décidé, à peine dix minutes, il courait avec elle sur la
plage, elle le tirait par la main, elle riait, lui aussi,
ils étaient essoufflés, elle le serrait sur son ventre,
le soleil les caressait, il entendait battre son cœur,
il ne bougeait plus, elle lui passait la main dans
les cheveux, il aurait voulu arrêter le temps, il
faisait semblant de s'endormir, elle faisait semblant de croire qu'il dormait, ils écoutaient les
vagues, ils écoutaient le vent, il n'y avait rien
d'autre, jamais plus rien d'autre...

D'un coup sec, sur le fer du lit, il cassa la bouteille. Il ramassa deux gros morceaux, ceux qui
convenaient le mieux. Des deux mains, avec un
soin méticuleux, il se trancha la gorge, du milieu
vers les oreilles. Puis il recommença. Le sang
coulait abondamment, tout allait comme il l'avait
décidé. Comme il n'avait pas mal, il se taillada le

visage, de la main gauche, une fois, deux fois, trois fois. Il se coucha par terre, le sang le rendait aveugle, il entendait les policiers qui parlaient à mi-voix. Il essaya de se redresser sur les coudes, il lui fallait dénoncer le coupable, c'était fini les dénégations, mais l'avocat n'arrivait pas, ils étaient trois maintenant, son père parlait avec les policiers, il leur donnait des ordres, Ali voulait appeler au secours, les mots ne venaient pas, il leva les mains vers les juges, il vit qu'elles ruisselaient de sang, les juges avaient peur, il entendit la sirène, il fit encore un geste, un adieu.

A quatre heures, le surveillant revint chercher la bouteille. Il trouva Caillou mort. Il grommela :

– Merde de merde... j'aurais dû m'en douter.

Il appela un camarade, puis son chef. Le chef prévint le médecin et le directeur de la prison, qui fit venir deux policiers. Ils étaient sept dans la cellule, autour du mort.

– Encore un, commenta le médecin, la semaine est mauvaise.

Il remua doucement la tête du cadavre. Le visage barbouillé de sang, sous la mousse des cheveux, avec le trou des yeux noirs, on aurait dit un clown.

– Pauvre gosse, conclut le médecin, et il s'en alla.

Le directeur s'empressa de le suivre. Les policiers mesurèrent quelques distances, ils ramassèrent les morceaux de bouteille, et ils sortirent, l'air préoccupé, les mains encombrées.

Le chef donna l'ordre aux deux surveillants d'évacuer le corps, puis de laver la cellule. Ils restèrent immobiles un long moment, l'un à côté de l'autre, les bras croisés, avant d'envelopper Ali dans un drap.

L'un, celui qui tenait le drap tendu, interrogea son collègue :

– Il avait pris combien ?

– Dix-huit mois, répondit l'autre.

Il roulait lentement Ali, des deux mains.

– Dix-huit mois, c'est pas une affaire...

– Quel con, dit l'un.

– Quel con, répéta l'autre.

Ils prirent le corps, l'un par les épaules, l'autre par les hanches. Il leur sembla léger, comme celui d'un enfant. Le sang tachait leurs uniformes. Et ils se mirent en marche, les yeux fixes, le pas réglé et retenu, tels des soldats portant un camarade.

DU MÊME AUTEUR

Aux Éditions Gallimard

JOSEPH CAILLAUX, Folio/Histoire, 1985.

L'ABSENCE, 1986.

LA TACHE, 1988.

Chez d'autres éditeurs

LA RÉPUBLIQUE DE M. POMPIDOU, Fayard, 1974.

LES FRANÇAIS AU POUVOIR, Grasset, 1977.

ÉCLATS (en collaboration avec Jack Lang), Simoën, 1978.

JOSEPH CAILLAUX, Hachette, 1980.

L'AFFAIRE, Julliard, 1983.

COLLECTION FOLIO

Impression Bussière à Saint-Amand (Cher),
le 27 juillet 1989.
Dépôt légal : juillet 1989.
1er dépôt légal dans la collection : décembre 1986.
Numéro d'imprimeur : 8903.
ISBN 2-07-037784-9./Imprimé en France.

46857